三日間の幸福

三秋 縋

イラスト／E9L

目次

三日間の幸福

三秋 縋

イラスト／E9L

1. 十年後の約束

寿命《じゅみょう》を買い取ってもらえるという話を聞いたとき、俺《おれ》が真っ先に思い出したのは、小学生の頃《ころ》に受けた道徳の授業のことだった。まだ自分でものを考えるということを知らない十歳の俺たちに向けて、学級担任である二十代後半の女性教員は、こんなふうに問いかけた。

「では皆さんは、そういうふうにかけがえのないものだといわれたり、何よりも価値のあるものだといわれたりしている『人間の命』は、実際の金額にすると、いくらくらいのものだと思っていますか?」

それから彼女は、ちょっと考え込む素振りを見せた。その問い方では不十分だと、自分で思ったのだろう。チョークを持ったまま黒板と対峙《たいじ》し、生徒に背を向けたまま二十秒ほど沈黙していた。

その間も、生徒は真剣に答えを考えていた。大半の生徒はその若くて綺麗《きれい》な学級担任が好きだったから、何とかして彼女に気に入られることをいって、褒《ほ》められたかったのだ。

一人のお利口《りこう》さんが、手を挙げていった。

「サラリーマンの平均的な生涯賃金は二億円から三億円ほどだと、この前読んだ本に書いてありました。だから、普通の人は、大体それくらいだと思います」

教室にいた生徒の半分は感心したような顔をした。もう半分は面白くなさそうな顔をした。

ほとんどの生徒は、そのお利口さんのことを嫌っていた。

学級担任は苦笑いを浮かべ、「確かに、それはそうなんです」といってうなずいた。

「大人の人に訊《き》いても、多分、同じ答えが返ってくるでしょうね。一生を通して稼ぐ金額、それがその人の価値とイコールになるという考え方は、一つの正解だといえるでしょう。ただ、ここでは、一度そういう考え方を捨ててほしいんです。……そうですね、たとえ話をしましょう。いつもの、わかりにくいたとえ話」

教員が青のチョークで黒板に描いたものの正体は、誰《だれ》にもわからなかった。人間にも見えたし、道路にへばりついたガムにも見えた。

でも、それが彼女の狙《ねら》いだった。

「この『得体《えたい》の知れないなにか』は、お金だけは、いくらでも持っています。『なにか』は、〝人間らしい生活〟に憧《あこが》れています。そういうわけで、誰かの人生を買い取ろうとしているんです。ある日あなたは、偶然、『なにか』の前を通りすがります。すると『なにか』があなたに、こう問うんです。『なあ、きみがこれから送る人生を、そっくりそのままぼくに売ってくれないかい？』と」

彼女はいったんそこで話を止める。

「それを売ってしまうと、どうなるんですか？」と生真面目《きまじめ》そうな男の子が手を挙げて訊《たず》ねた。

「死んでしまうでしょうね」と教員は平然と答えた。「だから、あなたは『なにか』の誘いを、一旦《いったん》は断るでしょう。しかし、『なにか』は食い下がります。『じゃあ、半分だけでいいんだ。君の余命の六十年から、三十年分だけ、ぼくに売ってくれないか。それがどうしても必要なんだよ』」

頬杖《ほおづえ》をついて話を聞いていた当時の俺は、「なるほどな」と思った。確かに、それくらいなら売ってやってもいい気がする。限度はあるにせよ、細く長い人生より、太く短い人生の方がいいに決まっているのだ。

「さて、ここからが問題です。この人間らしい生活に憧れる『なにか』は、あなたの余命に対して、一年につき、いくらくらいの値をつけてくれるでしょう？　……先にいっておきますが、正解はありませんよ。あなたたちがどのように考えて、どういった答えを出すかが知りたいんです。さあ、しばらく、近くの席の人同士で話しあってみてください」

教室がざわめき出す。

しかし、俺は話しあいには参加しなかった。正確にいうと、できなかった。

なぜなら俺も、先ほど生涯賃金の話を持ち出したお利口さん同様、クラスの鼻つまみ者だったからだ。

話しあいに興味がないふりをしつつ、時間が過ぎるのを待った。

前の席の連中が、「一生が三億円くらいだとすると……」といっているのが聞こえた。

あいつらが三億円なら、と俺は考える。

俺は三十億円くらいあってもおかしくないな。

話しあいの結果がどういったものだったか、俺は覚えていない。不毛な議論に終始していたのは確かだ。そもそも小学生に扱いきれるような簡単なテーマではないのだ。高校生を集めたって、それを生産的な議論にできるかどうかは疑わしい。

いかにも将来が暗そうな女の子が、「人の命に値段なんてつけられない」と熱く主張していたことは、よく覚えている。確かに、彼女と同じ人生を送る権利があるとしたら、それに値はつかないだろう——そう俺は思った。むしろ、処分料金を請求されるんじゃないだろうか。

　どのクラスにも一人はいるような頭のいい道化《どうけ》は、俺と似たようなことを考えていたらしく、「でも僕と同じ人生を送れる権利が売っていたとしても、君たち、三百円も払わないんじゃない？」といって周りを笑わせていた。その考え方には賛同できたが、そいつが明らかに自分の価値がそこら辺の生真面目な連中よりもずっと高いことを自覚した上で、白々《しらじら》しく自虐的《じぎゃくてき》な笑いを取ろうとしているところは、忌々《いまいま》しく感じられた。

　ところで、学級担任はこのとき、「正解はない」といった。しかし正解らしきものは存在した。十年後、二十歳《はたち》になった俺は実際に寿命を売って、その対価を得ることになる。


　子供の頃は、自分が偉《えら》い人間になると思っていた。同世代の人間と比べて、自分は並外れて優秀な人間だと思っていた。やっかいなことに、俺の住んでいた地域には、どうしようもなく冴《さ》えない親の生んだどうしようもなく冴えない子供が多かったから、その勘違いに拍車《はくしゃ》がかかることになった。

俺は周りの子供たちを見下していた。驕《おご》りを隠しきれるほど器用でも謙虚でもなかった俺は、当然、クラスの皆に疎《うと》ましがられた。仲間外れにされたり、物を隠されたりすることは珍しくなかった。

テストはいつも満点を取っていたが、それができたのは俺一人だけではなかった。

そう、例の〝お利口さん〟の女の子、ヒメノだ。

ヒメノのせいで俺は本当の意味での一番にはなれなかったし、俺のせいでヒメノは本当の意味での一番にはなれなかった。だから俺たちは、少なくとも表面的には、いがみあっていたように思う。常に、相手の上に立つことしか考えていなかった。

しかし一方で、お互いが唯一話の通じる相手であることも確かだった。こちらのいうことを誤解なく受け止めてくれるのは彼女だけだったし、おそらく向こうにしてもそれは同じことだった。

そういうわけで、最終的には、俺たちはいつも一緒にいることになるのだった。

もとより、家がほぼ真向いにあるということで、幼い頃から俺たちは相当の時間を一緒に過ごしてきた。いわゆる「幼《おさな》馴染《じみ》」というものに当たるのだろう。親同士の仲がよく、小学校に入るまでは、こちらの両親が忙しいときには俺は向こうの家に預けられていたし、向こうの両親が忙しいときにはヒメノがこちらの家に預けられていた。

互いを競争相手としか見なしていない俺たちだったが、親の前では、仲よく振る舞うことが暗黙の了解だった。これといった理由があったわけではない。何となく、そうした方がよさそうに思えただけだ。テーブルの下では脛《すね》を蹴りあったり太股《ふともも》をつねりあったりするような関係だったけれども、親の目があるときに限っては、俺たちは気のおけない幼馴染同士みたいにしていた。

でも、ひょっとしたら、本当にそうだったのかもしれない。

ヒメノもまた、俺と同じような理由で、クラスの連中に嫌われていた。自分の頭がいいと思い込み、周囲の人間を見下し、その態度があまりに露骨であるために、教室では除け者にされていた。

俺とヒメノの家は丘の頂上付近に建っていて、他のクラスメイトの家からはずいぶん離れていた。それは都合のいいことだった。俺たちは距離を言い訳にして、クラスメイトの家に遊びにいかずに自宅にひきこもることを正当化した。どうしようもなく退屈になったときだけ互いの家を訪れ、「好きでここにいるわけじゃない」といった顔で不本意そうに遊んだ。

夏祭りの日やクリスマスには、両親に要らぬ心配をかけないように二人で外出してぶらぶらと時間を潰《つぶ》したし、親子レクリエーションや授業参観の日には仲よしのふりをして、まるで「二人だけでいるのが一番楽だから、好きこのんでそうしているのだ」とでもいうふうに振る舞った。低能なクラスメイトに無理をいって仲間に入れてもらうよりは、憎たらしい幼馴染といる方がずっとましだと思ったのだ。

小学校は、俺たちにとって気の滅入る場所だった。たびたび、俺やヒメノに対する嫌がらせが問題になって学級会議が開かれた。

四年生から六年生まで担任だった女性教員は、この手の問題に理解があって、よほど酷《ひど》いことにならない限りは、そういったことを俺たちの両親に連絡しないでいてくれた。その通り、両親にまでいじめられっ子であることを知られたら、いよいよ俺たちの立場は決定的なものとなってしまう。たった一か所だけでも、自分たちがいじめられっ子であることを忘れさせてくれる場所が必要であることを、その女性教員はよくわかっていた。

しかし何にせよ、いつだって俺とヒメノはうんざりしていた。周りの連中に対してもそうだし、周りとそういう関係しか築けない自分に対しても、心の隅《すみ》で薄々うんざりしていた。

俺たちにとって一番の問題は、上手《うま》く笑えなかったことだ。皆が一斉《いっせい》に笑うようなタイミングで、一緒に笑うことができなかった。無理に顔の筋肉《きんにく》を動かそうとすると、自分の中にある肝心《かんじん》な部分が、がりがりと削《けず》られる音がした。ヒメノも似たようなことを感じていたのだろう。同調の笑いを強いるような雰囲気《ふんいき》の中でも、俺たちは眉《まゆ》一つ動かさなかった。動かせなかった、といってもいい。

そんな俺たちを、教室の連中は、高飛車《たかびしゃ》だとか気取り屋だとかいって軽蔑していた。確かに俺たちは高飛車で、気取り屋だっただろう。しかし、周りにあわせて上手く笑えなかったのは、それだけが原因ではないのだ。もっと根本的なところで、俺とヒメノは決定的にずれていた。咲く季節を間違えた花のように。

十歳の夏のことだった。何十回とごみ箱に捨てられた鞄《かばん》を背負ったヒメノと、鋏《はさみ》で裂け目を入れられた靴《くつ》を履《は》いた俺は、夕焼けに照らされた神社の石段に座って、何かを待っていた。

俺たちの位置からは、夏祭りの会場が見下ろせた。狭い参道に屋台がぎっしりと並び、二列の提灯《ちょうちん》が滑走路灯のようにまっすぐ続き、薄暗い境内を赤く照らしている。

行き交う人々は皆上機嫌な様子で、だからこそ俺たちは、そこに下りていくことはできなかった。

互いに黙り込んでいたのは、口を開けば、その声が滲《にじ》んでしまうことがわかっていたからだ。俺たちは口をきつく結んで、我慢強くそこに座っていた。

俺とヒメノが待っていたのは、自分たちの存在を肯定してくれる、すべてを納得させてくれる、「何か」だった。

ひぐらしの声が降りそそぐ神社で、二人は少なからず、神に祈っていたのかもしれない。

日も落ちかけた頃、ヒメノはふいに立ち上がり、スカートの汚れを手で払って、まっすぐ正面を見据えたままいった。

「私たちは将来、とっても偉くなるんだよ」

彼女だけが持つ、あの透き通った声で。

まるで、たった今確定した事実をいうかのように。

「……将来って、どれくらい先の話？」と俺は訊きかえした。

「そんなに近い話じゃないと思う。でも、そんなに遠い話でもない。たぶん、十年後くらい」

「十年後」と俺は繰り返す。「その頃には俺たちは二十歳だ」

十歳の俺たちにとって、二十歳という年齢は大の大人を意味していた。だから俺には、ヒメノのその言葉は、そこそこ現実的であるように思えた。

ヒメノは続けた。「そう、その『何か』はきっと、夏に起こるの。十年後の夏、私たちにとってもいいことが起きて、そのとき私たちは、ようやく『生きててよかった』って心の底から思えるの。偉くなって、お金持ちになった私たちは、小学生だった頃を振り返って、こういうんだ。『あの小学校は、私たちに何も与えてくれなかった。どいつもこいつも間抜けばかりで、反面教師にすらならなかった。とにかく、ひどい小学校だった』って」

「そうだな。本当に間抜けばっかりだった。本当にひどい学校だった」と俺はいった。

その視点は、当時の俺からすると、かなり斬新《ざんしん》だった。小学生にとって小学校というのは世界のすべてで、そこに善《よ》し悪しがあるというふうには、なかなか考えられないものだ。

「だから十年後には、私たちはとっても偉く、お金持ちになっている必要があるの。今のクラスメイトが、みんな嫉妬《しっと》で心臓発作を起こすくらいに」

「嫉妬で唇を嚙《か》み千切るくらいに」と俺は同意した。

「そうじゃないと、わりにあわないもんね」と彼女は微笑んだ。

俺はそれを、気休めとは思っていなかった。ヒメノの口から聞いた途端、俺はそれが、本当に確定した未来であるかのように感じた。その言葉は予言のように響いた。

そうだよな、俺たちが偉くなれないわけがないじゃないか。十年後、俺たちはあいつらを見返してやるんだ。こんなふうに無下《むげ》に扱っていたことを、死ぬほど後悔させてやる。

「……それにしても、二十歳って、すごいね」とヒメノはいい、両手を後ろについて夕焼け空を見上げた。「十年後には二十歳か」

「酒が飲める。煙草《たばこ》が吸える。結婚ができる――のは、もっと前からか」と俺はいった。

「そうだね。女の子は十六歳から結婚できる」

「男は十八歳からか。でも俺は、いつまでも結婚できない気がするな」

「どうして？」

「嫌いなものが多すぎるんだ。世の中に起こることが何もかも嫌なんだ。そんなんで、やってけるわけがないよ」

「そっか。じゃあ、私もそうかも」

そういって、ヒメノはうつむく。

夕日に染まる彼女の横顔は、いつもとは別人のように見えた。

より大人びて見えたし、より傷付きやすそうにも見えた。

「……ねえ、それじゃあさ」といってヒメノは俺と束《つか》の間目をあわせ、すぐに逸らした。「二十歳になって、私たちが偉くなって……もしそのとき、お互い、情けないことに、結婚するような相手が見つかってなかったとしたら」

小さく咳《せき》をしてから、彼女はいう。

「そのときは、売れ残り同士、一緒になりませんか？」

突然口調が変わったのが恥らっている証《あかし》だということは、当時の俺にもわかった。

「なんですか、それは」と俺も丁寧に返した。

「……冗談だよ。忘れてちょうだい」とヒメノは茶化すように笑った。「いってみただけ。私が売れ残るはずがないからね」

そいつはよかった、と俺も笑った。

しかし――非常に馬鹿《ばか》げた話だけれど――ヒメノと離れ離れになった後でも、俺はその約束をいつまでも覚えていた。だから、それなりに魅力的な女の子に好意を示されても、はっきりと拒否した。中学生になっても。高校生になっても。大学生になっても。

いつか彼女と再会したとき、ちゃんと〝売れ残っている〟姿を見せられるように。

まったくもって、馬鹿げた話だと思う。

あの頃から、十年が過ぎた。

かつてを振り返って、俺は思う。あれはあれで、輝かしい時代だったのかもしれない、と。

2. 終わりの始まり

その日十九回目の「申し訳ございません」をいって深々と頭を下げた俺は、そのまま目眩《めまい》を起こして床に倒れこんで頭を打ち、意識を失ったらしかった。

ビアガーデンでアルバイトをしていた最中のことだった。原因はわかりきっていた。ほとんど食事もせずに炎天下で働き続けていれば、誰でもそうなる。無理をして一人でアパートに戻った後、目の奥が抉《えぐ》られるように痛んだので、結局病院にいくことにした。

タクシーで救急外来にいったことで、ただでさえ危うかった俺の懐事情は、さらに悪化した。加えて、店長にしばらく仕事を休むようにいわれてしまった。また生活を切り詰めなければならず、しかしこれ以上何を切り詰めればいいのかわからなかった。最後に肉を食べたのがいつだったかも思い出せない。四か月も髪を切っていなかったし、一昨年の冬にコートを買って以来、服は一着も買っていなかった。大学に入ってから誰かと遊びにいったことは一度もない。

親には頼れない事情があった。そうなると、どうにか自分で金を作るしかない。

ＣＤと本を手放すのは、心が痛んだ。いずれも中古品で、厳正な品定めの末に購入したものだったが、パソコンもテレビもない俺の部屋で、今や金になりそうなものはこれだけだった。

お別れをする前に、せめてＣＤだけは一度すべて聴き通しておくことにした。ヘッドホンをして、畳に横たわり、プレイヤーの再生ボタンを押す。リサイクルショップで買った青い羽根の扇風機のスイッチを入れ、定期的に台所でコップに冷水を注いで飲んだ。

大学を休むのは初めてだった。だが、俺がいなくなったところで誰も気にしないだろう。休んだことさえ気付かれていないかもしれない。

一枚、また一枚、積み上げられたＣＤが、右の塔から左の塔へ移動していった。

季節は夏で、俺は二十歳だったが、かつてポール・ニザンがいった通り、二十歳という年齢は、必ずしも人の一生で一番美しい年齢であるとは限らない。

「十年後の夏、私たちにとってもいいことが起きて、そのとき私たちは、ようやく『生きててよかった』って心の底から思えるの」というヒメノの予言は、外れた。少なくとも俺の方には今のところ〝いいこと〟は起きていないし、今後起きる気配もない。

向こうは今何をやっているんだろう、と俺は考える。小学四年生の夏に彼女が転校して離れ離れになってからは、一度も会っていなかった。

こんなはずでは、なかった。

でも、それはそれでよかったのかもしれない。中学、高校、大学と進学するにつれ、着実に平凡で退屈な人間になっていく姿を、彼女に見られずに済んだのだから。

だが一方で、こう考えることもできる――幼馴染が俺と同じ中学にきてくれていたら、俺はこんなことにはならなかったのかもしれない。彼女が隣にいた頃の俺は、常に、よい意味で張りつめていた。俺が何か情けないことをすれば彼女に笑われるし、俺が何か優れたことをすれば彼女が悔しがってくれる、そういう緊張感があったからこそ、当時の俺は自分を最高の状態に持っていけていたのかもしれない。

ここ数年間、俺はそんなふうに、後悔ばかりしていた。

あの頃の俺が今の俺を見たら、一体何を思うだろう？

三日間かけて大半のＣＤを聴き終えた俺は、本当に大切な数枚だけ残して、後は残らず紙袋にしまった。もう一つの紙袋には、すでに本がぎっしりと詰めてあった。それらを両手にぶら提げ、俺は街に出た。日の下を歩いているうちに、耳鳴りがしてきた。蝉《せみ》の不規則な鳴き声からくる錯覚かもしれない。まるで耳元で鳴かれているかのようだった。

その古書店を初めて訪れたのは、一年前の夏、俺が大学に入って数か月の頃だった。まだ町の地理が頭に入っていなかった俺は、その日も道に迷い、一時間近くも自分がどこを歩いているのか把握できていない状況が続いていた。

路地を抜けて階段を上った先で、俺はその古書店を見つけた。以後、何度もその古書店にいこうとしたのだが、どうしても場所がわからなかった。調べようとしても、いつも店名を忘れてしまう。たまたま道に迷ったとき、偶然そこに辿《たど》りつく、というのが常《つね》だった。まるでその古書店に通じる道が、気まぐれに姿を出したり消したりしているかのように。迷わずいけるようになったのは今年に入ってからだ。

店先に、いつの間にか朝顔が咲いていた。習慣で、表に出ている安物用の本棚の中身に変化がないかを確かめた後、俺は店に入った。建物の中は薄暗く、古い紙の匂《にお》いが充満していて、奥の方からはラジオの音が聞こえてきた。

体を横にすることでどうにか通れるくらいの狭い通路を抜け、俺は店主に声をかけた。積み上げられた本の隙間《すきま》から、皺《しわ》だらけの老人が億劫《おっくう》そうに顔を出す。古書店の店主であるこの老人は、相手が誰であろうと笑顔というものをまったく見せない。会計のときは、いつでも下を向いたままぼそぼそと値段を読み上げるだけだ。

しかしこの日は違った。俺が本を売りに来たというと、珍しく顔を上げて、俺の目を見たのだ。

老人の顔には、確かに驚きのようなものが見受けられた。まあ、彼の気持ちはわからないでもない。俺が売ろうとしていた本はいずれも、たとえ何回読み通そうと、手元に置いておく価値のある本だった。それを手放すなどというのは、ある程度本を読む人間からすると、理解しがたい行動なのだろう。

「引っ越しでもするのか？」と彼は俺に訊いた。意外にも、よく通る声だった。

「いえ、そういうわけではないんです」

「じゃあ」といって彼は手元に積み上げられた本を見下ろす。「どうしてこんなもったいないことをする？」

「紙は食感も悪いし、栄養もありませんから」

老人は俺の冗談を理解してくれたようだった。

「金欠か」と彼は口を曲げていった。

俺が首肯《しゅこう》すると、彼は何か考え込むように腕を組んでしばらく沈黙していたが、思い直したように息をふっと吐き、「査定には三十分くらいかかる」とだけいい、本を抱えて店の奥に引っ込んだ。

外に出た俺は、道端の古い掲示板を眺めていた。夏祭り、蛍《ほたる》の観賞会、天体観測、読書会に関するポスターが張られていた。塀を挟んだ向こう側からは、線香と畳の匂い、それに生活臭や木の香りが混じりあった、あの懐かしい匂いがした。

どこか遠くの家で、風鈴が鳴っていた。

査定が終わり、こちらが想定していた額の三分の二程度を俺に手渡した老人は、「なあ」といった。

「一つ、話があるんだ」

「なんでしょう？」

「お前、金に困ってるんだろう？」

「今に始まったことじゃありませんけどね」

俺が曖昧《あいまい》に答えると、老人は勝手に納得したようにうなずく。

「まあ、お前がどれくらい貧乏なのかとか、どうして貧乏になったのかとか、そういうことに俺は興味がない。俺がお前に訊きたいことは、ただ一つだ」

　老人は一拍おいて、いう。

「寿命を売る気はねえか？」

　不自然な単語の組みあわせに、俺の反応は一回り遅れた。

「寿命？」と俺は確認の意味を込めて訊き返した。

「ああ、寿命だ。といっても、俺が買い取るわけじゃないがな。高く売れるのは確かだ」

　暑さで耳がどうにかしてしまった、というわけではなさそうだ。

　俺はしばし考え込んだ。

　この老人は、老いへの恐怖で頭がすっかり駄目になってしまったのだ——というのが、ひとまず出した結論だった。

　そんな俺の表情を見て、老人はいう。

「嘘《うそ》だと思うのも無理はねえだろうな。呆《ぼ》けちまってると思われても仕方がない。だが、その呆け老人のたわごとに付きあってやるつもりで、今から教える場所にいってみろ。俺のいうことが本当だとわかるはずだ」

　話半分に、説明を聞いた。

　つまりは、こういうことらしい。ここからそう離れていないところにあるビルの四階に、寿命の買い取りを行う店が入っている。人によって寿命がいくらで売れるかは異なり、今後どれだけ充実した人生を送るはずであったかによって、その価値は大きく変動する。

「俺はお前のことをほとんど知らねえが、見たところ悪いやつじゃなさそうだし、本の趣味もまあまあだ。そこそこの値がつくんじゃねえのか？」

　まるで小学生の頃に道徳の授業で聞いた話みたいだな、と俺は懐かしく思う。

　彼のいうところによると、寿命の他に、時間、健康も買い取ってもらえるのだそうだ。

「寿命と時間の違いはなんなんでしょう？」と俺は訊く。「寿命と健康の違いもよくわかりませんね」

「俺も詳しいことは知らん。売ったことがあるわけでもないからな。ただ――どうしようもないくらい不健康な奴が何十年も生き長らえたりするし、逆に健康な奴が突然死んだりするだろう――あれが寿命と健康の違いなんじゃねえか？　時間については、想像もつかんな」

　老人はメモ用紙に地図と電話番号まで書いてくれた。

俺は礼をいって、店を後にした。

しかし、俺でなくても、「寿命を買い取ってくれる店」などというものは、彼の願望が作り上げた空想に過ぎないと考えるだろう。彼はきっと、自分の死期が迫っていることに恐怖し、「寿命が売買可能である」という空想に浸ることで、何とか正気を保とうとしているのだ。

だって、そうだろう？　そんなに都合のいい話があるわけないじゃないか。

俺の予想は、半分当たっている。

都合のいい話は、確かになかった。

しかし、俺の予想は、半分外れている。

寿命を買い取る店は、確かにあった。

本を売り払った俺は、その足で街のCDショップへ向かった。アスファルトからの照り返しが酷く、次から次へと汗が流れ出していった。喉《のど》が渇いていたが、自販機でジュースを買うほどの余裕もなかった。アパートに戻るまでの辛抱だ。

先ほどの古書店とは違い、次に入ったCDショップは、冷房がよく効いていた。自動ドアが開き、冷ややかな空気を全身に浴びて、思わず伸びをしたくなった。深呼吸して、冷気を体内深くに取り込む。店内で流れていたのは、俺が中学生になるかならないかというときに流行っていた夏の歌だった。

カウンターへ向かい、いつもそこにいる金髪の店員に声をかけ、右手に提げた紙袋を左手で指差すと、彼は少し怪訝《けげん》そうな顔をした。その顔は次第に、まるで俺に手酷い裏切りを受けでもしたかのような表情に変化していった。「あんたともあろうものが、こんなにもたくさんのCDを手放すなんて」とでも言いたそうな顔。つまり、古書店の老人とほとんど同じ反応だ。

「どういった風の吹き回しですか？」と金髪は俺に訊く。二十代後半の瘦《や》せた垂れ目の男。ロックバンドのTシャツに色褪《いろあ》せたデニムという格好で、いつも指を神経質に動かしている。

古書店のときと同じ形で、CDを売らざるを得なかった理由を説明すると、「それなら」と金髪は手を叩《たた》いた。

「いい話があるんすよ。本当は教えちゃいけないことになってるんですけどね、俺、あなたの音楽の趣味が、個人的にすげえ気に入っているんです。だから、あなたにだけ、こっそりお教えします」

一字一句、詐欺《さぎ》の教科書に載っていてもおかしくない台詞《せりふ》だな、と俺は思う。

金髪はいった。

「この町に、寿命を買い取ってくれる店があるんすよ」

「寿命?」と俺は訊き返す。もちろん、このやり取りが先ほどからの繰り返しになっていることにも気付いている。しかし訊き返さずにはいられない。

「ええ、寿命です」と彼は大真面目に答えた。

貧乏人をからかうのが流行っているんだろうか?

俺が何と返したものか迷っているうちにも、彼は口早に説明してくる。

話の大筋《おおすじ》は古書店の老人の話と一緒だったが、この男は実際に寿命を売ったことがあるらしかった。どれくらいの値がついたのか訊ねると、「それはちょっといえませんねえ」とごまかされた。

金髪は地図と電話番号を書いて渡してくれた。いうまでもなく、それはあの老人が書いたものと一致していた。

形ばかりの礼をいい、店を出る。日の下に出た途端、重く暑苦しい空気がねっとりと身体にまとわりついてくる。今日くらいいいだろう、と俺は自分を許す。すぐ傍《そば》にあった自動販売機に小銭を投入し、悩み抜いた末、サイダーを選択する。缶を両手で握ってしばらく冷たさを堪能した後、プルタブを引き、時間をかけて飲んだ。口の中に清涼飲料水特有の甘さが広がっていく。炭酸を飲むのは久しぶりだったので、一口飲むごとに喉がちくちくした。最後の一滴まで飲み干すと、空き缶をごみ箱に放り込んだ。

ポケットから、二人が書いてくれた地図を取りだして眺めた。決して歩いていけない距離ではない。

そのビルへいけば、寿命や時間や健康を買い取ってもらえる、ということになっているらしい。

あまりに馬鹿げている。

俺は舌打ちすると、地図を丸めてその場で捨てた。

しかし結局、俺はそのビルの前に立っていた。

古いビルだった。元の色が想像できないくらいに外壁が黒ずんでいた。多分ビル自身も、もう元の色を思い出せないだろう。横幅が狭く、まるで両脇《りょうわき》の建物に圧迫されてそうなったかのようだった。

エレベーターが作動しておらず、目的の四階までは階段を上っていくしかなかった。黄ばんだ蛍光灯《けいこうとう》と黴臭《かびくさ》い空気の中を、汗だくになりながら一段一段上っていった。

寿命を買い取ってもらえる、なんて話を信じたわけではない。ただ、俺はこう考えたのだ。あの二人は何らかの事情からそれを直接的にはいえなかったが、実は、寿命を縮めるようなリスクを負う代わり、とてつもなく高い給料をもらえるアルバイトがある、などといった話を俺に紹介したかったんじゃないか、と。

四階に着いて最初に目に入ったドアには、何も書かれていなかった。

しかし、どうしてか俺は、そこが二人の話していた場所であることを確信できた。

呼吸を止めて五秒ほどドアノブを見つめ、意を決し、それを摑《つか》んだ。

ドアの向こうには、ビルの外観からは考えられないほどに清潔な空間が広がっていた。俺はそのことに驚きはしなかった。部屋の中心に空っぽのショーケースが並び、壁際には空っぽの棚が敷き詰められていたが、それさえも自然なことであるように感じられた。

しかし一般的な観点からいえば、そこはとても奇妙な部屋だった。宝石のない宝石屋。眼鏡のない眼鏡屋。本のない本屋。たとえるならそんなところだ。

声をかけられるまで、すぐ傍に人がいたことには気付かなかった。

「いらっしゃいませ」

声がした方を振り向くと、スーツ姿の女がそこに座っていた。細いフレームの眼鏡の下から、俺を品定めするように眺めていた。

「ここは一体何の店なんだ」と訊ねる手間が省けたのは、俺が口を開くより先に、彼女がこう訊いてくれたからだ。

「時間ですか？　健康ですか？　寿命ですか？」

もう考えるのが面倒だった。

からかいたいのなら、好きなだけからかえばいい。

「寿命です」と俺は即答した。

ひとまず、なりゆきに身を任せてみよう、と思った。今更、失うものなどほとんどない。

漠然とではあるが、俺は自分の寿命が残り六十年程度だとして、その値段を六億円前後と見積もっていた。小学校時代ほどの自信はないにせよ、人並以上の価値が自分にあるものと踏んでいた。つまり、一年につき、一千万円程度で売れるだろうと考えていたということだ。

この歳になっても、未だ俺は、「自分だけは特別である」という意識から逃れられずにいた。そうした自信は、何かに支えられていたわけではない。ただ過去の栄光を引きずっていただけだ。何一つ好転する気配のない現状から目を逸らし、「俺はいつかきっと、これまでの無意味な人生をすべて帳消しにしてくれるような大成功を収めるのだ」といつも自分にいい聞かせていた。

歳を重ねるごとに、夢見る成功のスケールは大きくなっていった。追い込まれた人間ほど、一発逆転を求めてしまいがちなものである。しかし、それも仕方のない話だ。十点差の九回裏に、堅実な送りバントをしてもどうしようもない。空振りの可能性が大きくなることを承知の上で、フルスイングで長打を狙うしか道は残されていないのだ。

いつしか俺は、永遠さえ夢見るようになっていた。誰もがその名前を知る人物となること、いつまで経っても色褪せないような伝説的な成功を収めることでしか、自分を救うことはできないと思った。

俺という人間がまともな方向に軌道修正するには、一度誰かに、完全な形で否定してもらう必要があったのかもしれない。逃げる場所も身を守る手段もないような状態で、完膚《かんぷ》なきまでに叩きのめされる必要があったのだ。

そう考えると、寿命を売りにいって、正解だったのだろう。

俺はそこで、これまでの人生どころか、これからの人生さえ、完全に否定されることになったのだから。


よく見ると、スーツの女はかなり若かった。容姿だけでいえば、十八歳から二十四歳のどの年齢でもおかしくない。

査定には三時間ほどお時間をいただきます、と彼女はいった。その手はすでに手元のパソコンのキーを叩きはじめていた。何か面倒な手続きがあるものと思っていたのだが、こちらの名前すら知らせる必要がないらしい。そして、かけがえのないものといわれる人生の価値は、たったの三時間でわかってしまうものであるようだ。もちろんその価値は、あくまで向こうが決めるものであって、普遍的なものではないのだろう。しかし一つの基準ではある。

ビルを出て、当てもなく辺りをぶらついた。空は薄暗くなりはじめていた。足が疲れきっていた。腹も空いていた。どこかの飲食店へ入って休みたかったが、それを許すだけの金銭的余裕はなかった。

商店街で見つけたベンチの上に、都合よくセブンスターと百円ライターが置かれていた。俺は周囲を見回したが、特に持ち主らしい人間は見当たらない。ベンチに座って何気なくそれらをポケットにしまうと、路地に入り、廃材の置かれた傍で煙草に火を点け、深く煙を吸いこんだ。あまりに久しぶりの喫煙だったので、一口目から喉がひりひりと痛んだ。

煙草を踏み消すと、俺は駅へ向かった。また喉が渇きはじめていた。

駅前の広場のベンチに座り、鳩《はと》を眺める。俺の向かいのベンチに座っている中年の女が、鳩に餌《えさ》をやっていた。服装は彼女くらいの歳にしては若々しすぎたし、餌を投げる手つきは落ち着きがなく、見ていて何ともいえない気持ちにさせられた。そして鳩がつついている食パンを見て、食欲を刺激される自分が嫌になった。もう少し空腹が酷かったら、鳩と一緒にパンをつついていたかもしれない。

――高く売れるといいんだが。そう俺は思う。

物を売るときに大抵の人がそうするように、査定が終わるまで、俺は自分の命の値段をなるべく低めに見積もっておくことにしていた。もともとは六億程度と考えていたが、どんな値で買い叩かれようと落胆しなくて済むように、最悪の事態を想定しておこうと考えていた。

その上での予想が、およそ三億だった。

子供の頃は、俺は自分の価値を三十億程度と見積もっていた。それと比べると、極めて控えめな見積もりといえるだろう。

しかし俺は、まだまだ自分の価値の低さを甘く見ている。平均的なサラリーマンの生涯賃金は二億円から三億円ほど、というヒメノの発言を、俺は覚えていた。だが、小学生時代、初めて命の値段について考えた俺が、いかにも将来が暗そうなクラスメイトの発言を聞いて、「彼女と同じ人生を送る権利があるとしたら、それに値はつかないだろう。むしろ処分料金を請求されるんじゃないだろうか」と考えたことは、忘れてしまっていた。

早目に店に戻り、ソファでうとうとしていた俺は、女店員に名前を呼ばれて目を覚ました。

査定が完了したらしかった。

「クスノキさん」と、確かに女店員は、そういった。ここにきてから名乗った覚えはなかったし、身分証明書の類は一切見せた覚えもなかった。しかし、向こうは何らかの手段でそれを知ったのだ。

やはりここでは、常識を超えた何かが行われているのだ。

再びこのビルに戻った頃には、不思議と俺は、この胡散臭《うさんくさ》い話――寿命を買い取ってもらえるという話を、信じてもいい気になっていた。様々な理由が複雑に絡《から》んでそのような結論が出たのだが、強いて一番強い理由を挙げるとすれば、あの女店員だ。初対面の人間に対してこんな印象を抱くのはおかしいかもしれない。しかし……あの女が関わっているところに、嘘はない。そんな気がした。正義感や倫理観といったものとは関係なしに、また損得さえ関係なしに、不正を嫌う人間がいるものだ。彼女からはそういう匂いがした。

しかし、後になって振り返ってみると、俺の勘がいかに当てにならないか、よくわかる。

……話を査定の方に戻そう。

女店員の口から〝三十〟という数字を聞いたとき、まだ心のどこかで自分への期待を捨てきれずにいた俺は、一瞬、その顔に期待の色を浮かべてしまったらしかった。子供の頃に俺が予想した〝三十億〟という値は妥当なものだったんだ、と反射的に思ってしまったのだ。

そんな俺の表情を見た女店員は、決まりの悪そうな顔をして、人差し指で頬をかいた。自分でその結果を伝えるに忍びないと感じたのか、彼女はパソコンのウインドウに目をやり、キーボードを高速で叩いた後、プリントアウトした一枚の用紙をカウンターに置いた。

「このような査定結果になりましたが、いかがいたしましょう？」

初め、俺は査定表に書かれている〝三十万〟という数字を、一年あたりの金額だと考えた。

一生を八十年と考えると、全部で二千四百万。

二千四百万、と俺は頭の中で繰り返した。

全身から力が抜けていく気がした。

いくら何でも、それは安すぎるんじゃないか？

俺はここにきてもう一度、この店を疑ってみることにした。これはテレビ番組の企画かもしれないし、心理学の実験かもしれない。いや、単純に性質《たち》の悪いいたずらなのかもしれない……

だが、いくら自分に言い訳しても無駄だった。俺を辛うじて引きとめているのは、もはや常識のみになっていた。それ以外の感覚は、揃《そろ》って「この女のいうことは正しい」と俺に告げていた。そしてこういった不合理な事態を前にしたとき、信じるべきは常識ではなく肌の感覚であるというのは、俺の信条の一つだった。

どうやら俺は、二千四百万という数字を受け入れなければならないらしい。

それだけでも、かなりの勇気が要った。

しかし、女店員は俺に向けて、さらに無情な事実を告げるのだ。

「一年辺りの値段についてですが、最低買取価格の一万円という結果になりました。余命は三十年と三か月ということでしたので、あなたはおよそ、三十万円を持ってここを出ることが可能となります」

そのとき俺が笑ってしまったのは、彼女の言葉を冗談と受け取ったからではなく、あまりに酷い事実を突きつけられた自分が、客観的に見て滑稽《こっけい》だったからだろう。

文字通り、予想とは桁違いの結果が、査定表には記されていた。

「もちろんこれは、普遍的な価値を示すものではありません。あくまで、我々の基準に照らしあわせた結果、このような額になったというだけです」

女店員は弁解するようにいった。

「その基準というのを、詳しく知りたい」と俺がいうと、彼女はうんざりしたように溜《た》め息をついた。同じような質問を、これまで何百回何千回とされてきたのかもしれない。

「詳しい査定は別の諮問《しもん》機関によって行われておりますので、私も詳しいことはわからないのですが、幸福度、実現度、貢献度などといった要素をどれだけ満たしているかで、値段が大きく変わってくる、とは聞いています。……つまり、残りの人生で、どれだけ幸せになったり、人を幸せにしたり、夢を叶《かな》えたり、社会に貢献したりすることになっていたか、といった基準をもとに査定額を決めているということです」

その公正さが、さらに俺を打ちのめす。

単に幸せになれなかったり、単に人を幸せにできなかったり、単に夢を叶えられなかったり、単に社会貢献できなかったり——単にどれか一つの基準において無価値であるというだけなら、まだいい。しかし、幸せになれず、かつ誰も幸せにできず、かつ夢を叶えられず、かつ社会に貢献できないということになると——俺はどこに救いを見いだせばいいのか、わからなくなってしまう。

重ねて、三十年という、二十歳にしてはいささか短すぎる余命。大病でも患《わずら》うのだろうか？　事故にでも遭《あ》うのだろうか？

「なぜ俺はこんなに余命が短いんだ？」と俺は駄目元《だめもと》で訊いてみる。

「申し訳ありませんが」と女店員は小さく頭を下げる。「これより先の情報は、時間、健康、寿命のいずれかをお売りいただいたお客様のみにしか公開できないことになっております」

眉間《みけん》を抑えたまま、俺は考え込んだ。

「少し、考えさせてくれ」

「ごゆっくりどうぞ」と彼女は答えたが、その口調からいって、さっさと決めてほしそうだった。

結局俺は、三か月だけ残して、残りの三十年すべてを売り払った。アルバイト漬けの生活や古本屋とCDショップでの出来事によって、俺は自身に属する物や時間を安売りすることに抵抗がなくなってしまっていた。

女店員から契約書の中身を逐一《ちくいち》確認されている間、俺はほとんど何も考えずに相槌《あいづち》を繰り返していただけだった。何か質問はないかと訊ねられても、特にないと答えた。さっさと終わらせて、出ていきたかったのだ。

この店からも。この人生からも。

「売買は、合計で三回まで行うことができます」と女店員はいった。「あと二回、あなたは、寿命・健康・時間の売買を行えるということです」

三十万円の入った封筒を受け取って、俺は店を出た。

それがどうやって行われたかは見当も付かないのだが、寿命を失った感覚は、確かにあった。それまで身体の芯に詰まっていた何かが、九割方抜き取られてしまったようだった。頭を切り落とされた鶏の胴体がしばらくは元気に走り回っていることがあるらしいが、感覚としてはそれに近い。もはや死体と呼んでもいいような状態なのだ。二十一歳になれずに死ぬことがほぼ確定した俺の身体は、八十年を生きるつもりでいた身体とは違って、せっかちなようだった。何気ない一秒の重みが増していた。八十年生きるつもりでいたときの俺には、どうしても「あと六十年もある」という慢心《まんしん》が無意識にあったようだが、残り三か月ともなると、「何かしなければならない」という焦燥感《しょうそうかん》に襲われた。

とはいえ、今日はひとまず帰って眠りたかった。あちこち歩き回って、くたくたに疲れ切っていた。今後について考えるには、心ゆくまで寝て、気持ちよく起きた後にしたかった。

帰り道、俺は奇妙な男と擦れ違った。二十代前半に見えるその男は、満面の笑みをたたえ、楽しくてしょうがないといった様子で、一人で歩いていた。

無性に、腹が立った。

商店街の酒屋に立ち寄って缶ビールを四本買い、折よく見つけた屋台で焼き鳥を五本買い、それらを飲み食いしながら帰った。

余命三か月。もう金に糸目をつける必要はない。

アルコールを摂取するのは久しぶりだった。気分が落ち込んでいたのも、よくなかったのかもしれない。おかげであっという間に酔いが回り、酩酊《めいてい》し、帰宅して三十分としないうちに吐く羽目になった。

こうして俺の最後の三か月が始まる。

スタートの切り方としては、最悪に近い。

3. 三角座りの監視員

ただでさえ気分が悪いのに、暑くて寝苦しい夜だった。おかげで細部までくっきりとした夢を見た。

目を覚ました後も、俺はその夢を布団の中で反芻《はんすう》する。嫌な夢ではない。それどころか、幸せな夢だった。しかし幸せな夢ほど残酷《ざんこく》なものもない。

夢の中の俺は高校生で、舞台は公園だった。俺の知っている公園ではなかったが、そこにいたのは小学校時代の同窓生だった。どうやら同窓会が行われているという設定の夢らしい。

皆、花火を手に楽しそうにしていた。火花に照らされた煙が赤く染まる。俺は公園の外に立っていて、彼らを眺めていた。

高校生活はどう？　と、いつの間にか隣にいたヒメノが俺に訊いた。

彼女を横目に見ようとしたが、その顔はぼやけていた。俺は十歳より先の彼女を知らなかったから、うまく想像できなかったのだろう。

しかし、夢の中の俺は、ヒメノの顔を心から綺麗だと思った。彼女と古くからの知りあいであることを、誇らしく思った。

楽しめているとはいえないな、と俺は正直に答えた。でも、最悪ってほどでもない。

私もそんなところかな、とヒメノはうなずく。

彼女が自分と同じように惨めな青春を過ごしていることを、俺は密かに嬉しく思う。

今になって思うんだけどさ、と彼女はいう。

あの頃は、きっと楽しかったんだね。

どの頃をいってるんだ？と俺は訊きかえす。

問いには答えず、ヒメノはしゃがみこんで、俺を見上げていう。クスノキは、まだ売れ残ってるの？

まあな、と俺は答えつつ、彼女の表情に目を凝《こ》らす。反応を確かめる。

そっか、とヒメノは呆《あき》れ笑いを浮かべる。まあ、私もそうなんだけど。

それから、はにかんだような表情で、こう付け足した。

よかった。順調だね。

ああ、順調だ、と俺は同意する。

そんな夢だ。

二十歳になって見る夢ではなかった。何て子供じみた夢だろう、と俺は自己嫌悪する。しかし同時に、その夢を懸命《けんめい》に記憶しておこうとしている自分がいる。忘れてしまうには惜しいから。

十歳の頃、俺がヒメノのことを大して好いていなかったことは確かだ。彼女に対して持っていた好意は、ほんの僅《わず》かなものだった。

問題は、そうした「ほんの僅かな好意」さえ、俺は後に出会った誰に対しても抱くことができなかったということだ。

ひょっとすると、あの一見小さな好意は、俺の人生においては最大のものだったんじゃないか――それに気付いたのは、彼女がいなくなった、ずっと後だった。

ヒメノの夢を入念に細部まで記憶した俺は、そのまま布団の中で、昨日の出来事について考えていた。あの古ぼけたビルで、俺は寿命を三か月だけ残して売り払ってしまった。

思い返すと白昼夢のようだ、とは思わなかった。その出来事は、俺の中で確固としたリアリティを保っていた。

勢いで寿命の大半を売り払ってしまったことを後悔する、ということもなかった。

失って初めてその大切さに気付くということもない。むしろ、肩の荷が下りてせいせいしたという感が強かった。

これまで俺を生に繋《つな》ぎとめていたのは、「ひょっとしたら、いつかいいことがあるかもしれない」という浅はかな期待だった。いくら無根拠な期待とはいえ、それを捨てきるのは至難の業《わざ》だった。どんな無価値な人間だろうと、すべての不運を帳消しにするくらいの幸運に恵まれないという保証は、どこにもないのだ。

それは救いであり、同時に罠《わな》でもあった。だからこそ、今回、「今後、お前の人生にいいことは起こらない」と断言してもらえたことは、見方によってはありがたいことだった。

これで、安心して死ぬことができる。

こうなってしまったからには、せめて残りの三か月だけは、楽しく過ごしたいものだ。「冴えない人生だったが、死を覚悟してからの三か月だけは、それなりに幸福だった」、最後にそう思えるような余生を過ごしたい。

まずは書店にいって雑誌でも読み、これからすべきことについて考えようと俺は決めて――そのとき、呼び鈴が鳴った。

誰かが訪ねてくる予定はなかった。そんなものはここ数年間一度もないし、今後三か月もそうだろう。部屋の間違いか、集金か、勧誘か。いずれにせよいい予感はしなかった。

呼び鈴が再び鳴った。布団を出て立ち上がった俺は、途端に、昨晩のような強い吐き気に襲われた。二日酔いだ。それでも何とか我慢して玄関にいきドアを開けると、そこに立っていたのは、見知らぬ女の子だった。傍らには彼女の物らしいキャリーケースがあった。

「……どちら様？」と俺は訊ねた。

彼女は呆れたような顔をした後、億劫そうに鞄から取りだした眼鏡をかけ、これで誰だかわかっただろう、とでもいいたげにこちらを見た。

そこで俺は、ようやく気付く。

「昨日、俺の寿命を査定した……」

「そうです」と女の子はいった。

スーツの印象ばかりが際立っていたので、私服姿の彼女はまるで別人に見えた。コットンのブラウスに、サックスブルーのダンガリースカート。昨日は後ろで結んでいたのでわからなかったが、肩までの長さがある黒髪には、ゆるい内巻きの癖《くせ》があった。先ほどかけてもらった眼鏡越しに見える瞳は、心なしか憂《うれ》いを帯びているようにも見える。スカートから伸びる細い脚に目をやると、右膝《みぎひざ》に大き目の絆創膏《ばんそうこう》が貼《は》ってあった。相当深い傷らしく、絆創膏の上からでも傷の状態がわかった。

初対面では十八歳から二十四歳といまいち年齢を絞《しぼ》りきれなかったが、今日の彼女を見て目星がついた。おそらく俺と同じくらいだろう。十九か、二十というところだ。

それにしても、なぜ彼女が、ここにいるのだろう？

真っ先に思い付いた理由は、「査定結果に誤りがあったことを伝えにきた」というものだった。実は桁《けた》を間違えていた。もしくは他の人の結果と取り違えていた。彼女はその謝罪にきたのかもしれない、と俺は期待せずにはいられなかった。

女の子は再び眼鏡を外し、几帳面《きちょうめん》にケースにしまい、再び俺を感情のない目で見つめた。

「今日から監視員を務めさせていただく、ミヤギです」

そういうと、ミヤギと名乗る女の子は俺に軽く会釈《えしゃく》した。

監視員。すっかり忘れていた。そんな話もあったな、と俺は昨日のミヤギとの会話を思い出しつつ、吐き気に耐えられなくなりトイレに駆け込んで吐いた。

胃の中身を一通り出しきってからトイレを出ると、ドアのすぐ前にミヤギが突っ立っていた。仕事とはいえ、遠慮のない女の子だ。俺は彼女を押しのけるようにして洗面所にいき、顔を洗ってうがいをし、コップで水をがぶ飲みした後、再び布団に横たわった。ひどい頭痛だった。蒸し暑さがそれを助長していた。

「昨日も説明させていただきましたけれど」いつの間にか俺の枕元《まくらもと》に立っていたミヤギがいった。「あなたの余命は一年を切りましたので、今日からは常時、監視が付くことになります。つきましては……」

「その話、もう少し後にしてくれないか？」と俺は露骨に苛立《いらだ》ちを込めていった。「見ての通り、具合が悪いんだ」

「わかりました。では、後にします」

そういうと、ミヤギはキャリーケースを持って部屋の隅にいき、壁に背を向けて三角座りをした。

その後は、ただひたすら俺のことを眺めていた。

どうやら、俺が部屋にいる間は、そこから監視をするつもりらしい。

「私のことは、いないと思っていただいて結構ですから」とミヤギは部屋の隅からいった。「どうぞお気になさらず、いつも通り、のびのびと生活してください」

しかし、そういわれたところで、歳が二つと離れていない女の子に監視されているという事実に変わりはない。俺はどうしても気になって、ミヤギのいる方をちらりと盗み見た。ノートに何か書き込んでいるようだ。監視記録のようなものをつけているのかもしれない。

一方的に観察されるのは、不愉快《ふゆかい》だった。彼女に見られている側の半身が、ひりひりと視線で焼けるようだ。

監視員については、確かに昨日の時点で詳しい説明を受けていた。ミヤギの話によると、あの店で寿命を売った人の多くが、放っておくと、余命一年を切った頃から自暴自棄になって、問題行動を起こすようになるのだそうだ。〝問題行動〟の具体的な内容について詳しくは聞かなかったが、大体予想はつく。

人が規則を守るのは、生き続ける上で、信用というものが大きな鍵《かぎ》を握っているからだ。だが、人生が間もなく終わるということが確定しているのであれば、話は変わってくる。信用はあの世までは持っていけるものではない。

寿命を売った人間が自暴自棄になり他者に危害を加えるという事態を防ぐためにできたシステムが、この監視員制度なのだそうだ。余命一年を切った者には監視がつけられ、不適切な行動が見られた場合、即座に監視員から本部に連絡がいき、本来の寿命とは関係なしに、その場で寿命を尽きさせられるのだという。部屋の隅に三角座りしているあの女の子は、電話一本で俺の命を奪えるということだ。

ただ――これは統計的に有意な結果が示されたからそうしているらしいのだが――死まで残り数日というところまでくると、人は他人に迷惑をかけようという気がなくなるのだそうだ。それゆえに、余命が残り三日となったとき、監視員が外されるらしい。

最後の三日間だけは、一人になれるのだ。


いつの間にか眠ってしまっていたらしかった。目が覚めると、頭痛と吐き気は消えていた。時計は午後七時ほどを指していた。貴重な三か月の最初の一日の過ごし方としては、ほぼ最悪といっていい。

ミヤギは相変わらず、部屋の隅でじっとしていた。

なるべく彼女を意識しないようにして、いつも通り行動することを心がける。冷水で顔を洗い、部屋着を脱ぎ、すっかり色落ちしたブルージーンズと裾《すそ》のほつれたTシャツに着替え、夕食を買いに外へ出た。監視員のミヤギは、俺の五歩ほど後ろを付いてきた。

歩いていると、強い西日に目が眩《くら》んだ。この日の夕焼けは黄色かった。遠くの林からひぐらしの鳴き声が聞こえる。歩道の脇にある線路を、単行の車両が気だるそうに走り抜けていった。

旧国道沿いのオートレストランに到着した。横幅の広い建物で、店の裏から木が屋根に覆《おお》いかぶさるように生えていた。看板、屋根、外壁、色褪せていない場所を探す方が難しいくらいだ。店内には十台ほどの自動販売機が一列に並び、その正面に、一味唐辛子や灰皿の置かれた細いテーブルが二つ設置されていた。隅に並ぶ十年以上前のアーケード筐体《きようたい》のBGMは、寂れた店内の雰囲気をほんの少しだけ明るくしてくれていた。

三百円を麺類《めんるい》自販機に投入し、調理が完了するまで煙草を吸って待った。ミヤギは丸椅子《まるいす》に座り、一つだけ点滅している蛍光灯を見上げていた。この女の子は、俺の監視をしている間、どうやって食事をとるつもりなのだろう？　飲まず食わずというわけではないだろうが、そういわれても納得できるだけの不気味さが彼女にはあった。あまりに機械じみている、とでもいうか。人間味がないのだ。

熱いばかりで安っぽい味のする天ぷらそばを平らげた後は、飲料自販機でコーヒーを買って飲んだ。甘ったるいアイスコーヒーは、渇いた身体に染みわたっていった。
余命三か月を切っておきながら、わざわざ自販機のまずい飯を食べにきたのは、俺がそれしか知らなかったからだ。さっきまでの俺には、そもそも、「遠出して、高級な店で食事をとる」という選択肢《せんたくし》が存在しなかった。ここ数年の貧乏生活で、俺は想像力というものをあらかた失ってしまったみたいだった。

食事を終えてアパートに戻った俺は、ボールペンを握り、手帳を開き、そこに改めて今後の方針を箇条書きすることとした。初めは、やりたいことを考えるよりやりたくないことを考える方が楽だったが、手を動かしていると次第に、死ぬ前にやっておきたいことも頭に浮かぶようになってきた。

死ぬ前にやりたいこと

・大学にいかない
・働かない

・欲望に逆らわない
・美味しいものを食べる
・綺麗なものを見る
・遺書を書く
・ナルセと会って話をする
・ヒメノと会って想いを打ち明ける

「それ、やめておいた方がいいですよ」

振り向くと、部屋の隅に座っていたはずのミヤギが、いつの間にか背後に立って、俺の手元を覗きこんでいた。

彼女が指差したのは、よりにもよって、「ヒメノと会って想いを打ち明ける」と書かれた行だった。

「監視員ってのは、こういうところまで覗いて、口出しする義務があるのか？」と俺は訊いた。

ミヤギはその質問には答えなかった。

代わりに、俺にこう告げた。

「そのヒメノさんですが、色々ありまして、十七歳で出産しているんです。そのまま高校を退学、十八歳で結婚しますが、一年後には離婚、二十歳の現在は実家で子育てをしています。二年後、彼女は飛び降り自殺することになっています。陰惨な遺書を残して。……今会いにいっても、ろくなことになりませんよ。それに、ヒメノさん、あなたのことなんてほとんど覚えてませんから。もちろん、十歳のときに交わした、例の約束のことも」

喉からうまく声が出てこなかった。

肺の中の空気が、一瞬で薄まった気がした。

「……そこまで、俺の事情に詳しいのか」

やっとのことで息を吐きだし、動揺を必死に押し隠しながら、俺は訊いた。

「その口ぶりからすると、あんたは、これから先に起こることすべてがわかってるのか？」

ミヤギは二、三度目を瞬かせた後、首を横に振った。

「私が知っているのは、今後、クスノキさんの人生とその周辺で『起こるかもしれなかったこと』です。もっとも、今となっては意味のない情報ですけどね。寿命を売ったことによって、あなたの未来は大きく変わってしまいましたから。それに、私が知っているのは、その〝起こるかもしれなかったこと〟の中でも、特に重要な事柄だけです」

ミヤギは手帳を覗きこんだまま、右手をゆっくり上げて、髪を耳に掛ける。

「あなたにとってヒメノさんは、とても重要な存在だったようですね。クスノキさんの人生の『あらすじ』には、ヒメノさんのことばかり書いてありました」

「それはあくまで相対的な話だ」と俺はつい否定した。「他のことが、俺にとっては重要じゃなさ過ぎたってだけだろう」

「そうかもしれませんね」とミヤギはいった。「とにかく、私にいえることは、今からヒメノさんに会いにいくことは、時間の浪費だということです。思い出を台なしにさされるだけですよ」

「お気遣いありがとう。しかし、とっくに台なしだ」

「でも、時間の節約にはなったでしょう?」

「かもしれないな。しかし、あんた、そんな簡単に、未来のことを本人に話してもいいものなのか?」

ミヤギは首を傾げる。「逆に質問させてもらいますけど、なぜ話してはいけないと思ったんですか?」

そういわれてみると、何も思いつけなかった。仮に俺が未来の情報を利用して何か悪事を働こうとしても、そのときはミヤギから本部に連絡がいき、俺の寿命が切れるだけだ。

「私たちは、基本的には、あなたが平穏な余生を送ることを望んでいます」とミヤギはいった。「そのためにこうして、あなたの未来に基づいた助言をしたり、警告をしたりといったこともするんです」

俺は頭をかいた。この女の子に何かいい返してやりたくなった。

「なあ、あんたは今、俺が傷ついたり失望したりすることを未然に防いだ気になっているのかもしれない。だがその行為は、『傷ついたり失望したりする自由』を俺から奪ったともいえるんじゃないのか？　そう……たとえば、俺が仮に、あんたの口から間接的にではなくて、ヒメノの口から直接にその事実を聞いて傷つけられたかったと思っていたとしたら、あんたのしたことはお節介だ」

ミヤギは面倒くさそうに溜め息をついた。

「そうですか。私としては善意のつもりだったんですけどね。仮にそうだったとしたら、少々軽はずみな発言だったかもしれません。申し訳ありません」

そういうと、あっさり頭を下げた。

「……ただ、一つだけ、いっておきます。これから起こる出来事に対して、あまり、公正さとか整合性とかを期待しない方がいいですよ。あなたは寿命を売ってしまったんです。それは、このまったく理屈の通っていない不条理な仕組みの世界に、自ら飛び込んでしまったことを意味します。そこで自由や権利なんかについて主張しても、ほとんど無駄ですよ。あなたは自分で飛び込んだんですから」

そういうと、ミヤギは部屋の隅に戻って、再び三角座りをした。

「とはいえ、少なくとも今回は、あなたの『傷ついたり失望したりする自由』とやらを尊重して、あなたがそのリストに書いた他の項目については、口出しをしないでおこうと思います。どうぞお好きに、他人に迷惑をかけない範囲で、やりたいことをやってください。私は止めませんから」

いわれなくたってそうしてやるさ、と俺は思う。

このときミヤギが心なしか悲しそうな顔をしたのを、俺は見逃してはいなかった。しかし、その表情が意味するところまでは、深く考えてみようとはしなかった。

4. 答えあわせといきましょう

　ここから俺の間抜けぶりは加速する。

　俺はミヤギに「電話をかけるだけだ、すぐ戻る」といって、わざわざアパートの外に出た。彼女に通話内容を聞かれたくなくてそうしたつもりだったのだが、案の定、ミヤギはちょこちょこ後ろを付いてきた。

　自分から誰かに電話をかけるのは久しぶりだった。俺は携帯の画面に表示されている、「ワカナ」という文字を長い間見つめていた。

　アパートの裏の林では、夏虫がころころと鳴いていた。

　どうやら俺は、たかが電話に緊張しているらしかった。思えば、子供の頃からずっと、自分から誰かを遊びに誘ったり、会話を求めたりといったことをしないできた。それによってたくさんの可能性を失ったのも事実だが、同じくらいの煩《わずら》わしさから逃れられたのも事実だ。特に後悔も満足もない。

　思考を一旦打ち切る。直後に訪れる数秒間の思考停止を利用して、携帯の通話ボタンを押す。電話さえかけてしまえばこっちのものだ。喋《しゃべ》る内容は、どうとでもなるだろう。

コール音が緊張を高める。一回、二回、三回。俺はこのときになって、ようやく「通話相手が電話に出ない可能性」があることを思い出す。長い間こういうことをしてこなかったから、頭のどこかで、電話をかければ相手はいつでも出てくれるものだと思い込んでいたようだ。四回、五回、六回。どうやら今すぐ電話に出られるような状況ではないらしい。心のどこかで安堵《あんど》している自分がいる。

コール音が八回に達したところで、諦《あきら》めて通話終了ボタンを押した。

電話をかけた相手、ワカナは大学の後輩の女の子だ。食事にでも誘うつもりだった。そしてもし事が上手く運ぶようであれば、俺の寿命が尽きるまで、ずっと傍にいてもらいたかった。

ここにきて、突然、寂しさが込み上げてきたのだ。人生の終わりが明確になって、真っ先に感じた変化は、これまでの俺では考えられないほどの人恋しさだった。とにかく猛烈に誰かと話がしたくなった。

ワカナは、大学で唯一俺に好意を向けてくれていた人間だ。今年の春、まだ入学したてだったワカナは、例の古本屋で俺と出会った。ぼろぼろの黴臭い本を食い入るように見つめるワカナに、俺は「邪魔だ、早くそこをどけ」という視線を送っていたのだが、彼女はその視線を曲解して、「ひょっとしたら、私に露骨な視線を送る彼は、見覚えはないものの、いつかどこかで知りあった仲なのでは？」という新入生にありがちな勘違いを起こした。

「あの、もしかして、どこかでお会いしました？」とワカナは俺におそるおそる訊いた。

「いや」と俺は否定した。「ここで会うのが初めてだ」

「あれ、そうですか。失礼しました」ワカナは自分の勘違いに気付いたらしく、気まずそうな顔で目を逸らした。が、すぐに気を取り直したような微笑みを浮かべ、こういった。

「じゃあ、つまり、私たちは、この古書店で出会ったんですね？」

今度は俺が困惑する番だった。「そういうことになるんだと思う」

「そういうことになるんですよ。すてきですね」とワカナはいい、古書を本棚に戻した。

数日後、俺たちは大学で再会することとなった。それ以来、何度か昼食を共にし、その度に講義そっちのけで本や音楽について長々と語りあった。

「自分より本を読んでる同世代人に出会ったのは初めてです」とワカナは目を輝かせ

ていった。

「ただ読んでるだけだよ。そこから俺は、何も得ていない」と俺は答えた。「その本の本来の価値を引き出すための受け皿が、俺にはないんだ。やってることは、鍋《なべ》から小皿に大量のスープを流し込むに等しい。入れた傍から溢《あふ》れ出して、さっぱり身にならない」

「そういうものなんですかね？」とワカナは首をかしげる。「たとえ身にならないように見えても、すぐに忘れるように見えても、一度読んだものは絶対に脳のどこかに残っていて、本人も気付かないところで役に立っているものだと私は思ってるんですけど」

「そういうこともあるかもしれないな。ただ、少なくとも俺は——自分がそうだからこそいうんだが——若者のうちに読書漬けになるなんて、不健康なことだと思う。読書なんて、他にすることのない人間がやることさ」

「クスノキさん、やることがないんですか？」

「アルバイト以外は、特にないな」と俺が答えると、ワカナは包み隠さない笑顔を浮かべ、「今度、増やしてあげますよ。やること」といって俺の肩を小突いた。それから俺の携帯を勝手に拾い上げて、自分のアドレスと番号を登録した。

あのとき、ヒメノが既に妊娠、結婚、出産、離婚を終え、俺のことなど忘れてしまっているということを知っていたら、俺はワカナに対してもっと色目を使っていたのだろう。しかし春頃の俺は、相変わらずヒメノとの約束を大切にしていて、二十歳まで絶対に売れ残ってやろうと固く決心していた。だから自分からワカナに連絡することはなかったし、向こうからメールや電話がきても、二、三通か数分で切り上げるようにしていた。あまり期待させてはいけない、と思っていた。

いつだって俺は、救いがたく間の悪い人間だったということだ。

留守電を残す気にはなれなかった。電話をかけた旨《むね》を伝えようと、俺はワカナにメールを送った。「突然で悪いけど、明日、どこか行かないか」。素気なくなりすぎないよう、けれどもワカナの中にある俺という人間の印象を極端には壊さないよう、慎重に文章を練り上げ、送信した。

返事はすぐにきた。そのことに慰められたのは間違いなかった。俺のことを気にかけてくれている人間がまだいるのだ。

柄《がら》にもなく、こちらもすぐに返事を送ってやろう、と思った矢先に、俺は自分の勘違いに気付いた。

届いたメールは、ワカナのものではなかった。それだけなら、まだよかった。しかし、手元の携帯の画面に表示されている英文字列が意味しているのは、「受信者の不在」だった。

つまり、こういうことだ。ワカナはメールアドレスを変更して、けれども、それを俺に知らせなかった。俺と連絡可能な状態を維持する必要はない、と判断したということだ。

もちろん、それは、彼女の手違いだという可能性もあった。今からすぐにでも、彼女からアドレス変更の通知がくるという可能性もあった。

しかし俺には、なんとなく、確信があった。

期限はとっくに過ぎていたのだ。

うつろな目で携帯の画面を見つめる俺の様子を見て、ミヤギは事情を察したらしい。つかつかと歩み寄ってきて、俺の手元を覗きこんだ。

「さて、答えあわせといきましょう」とミヤギはいった。

「あなたが今電話をかけた女の子は、あなたにとって、最後の希望でした。ワカナさんは、あなたを愛してくれたかもしれなかった、最後の人です。彼女があなたにアプローチしてきていた春の間に、あなたの方から彼女に働きかけていれば、今頃あなたたちは、気のあう恋人として仲良くやっていたと思います。そうなっていれば、寿命の価値がこんなに落ちることもなかったでしょう。……でも、ちょっと、遅かったですね。ワカナさんはもう、あなたのことなんて、どうでもよくなっています。いえ、それどころか、自分の好意に応えてくれなかったクスノキさんのことを少なからず恨んでいて、最近できた恋人を、あなたに見せつけてやりたいと考えているくらいです」

目の前にいる人間について語っているとは思えないほど突き放した口調で、ミヤギはいう。

「以後、あなたを好きになろうとしてくれる人は、二度と現れません。あなたが他人のことを、自分の寂しさを埋める道具くらいにしか見ていないということは、案外見抜かれてしまうものなんですよ」

隣部屋の窓からは、楽しげな声が聞こえた。大学生の男女数人が騒いでいるらしかった。窓から漏れる明かりは、俺の部屋から漏れる明かりとは比べ物にならないくらい明るく見えた。以前の俺なら、あまり気にしないであろう光景だったが、今の俺には、刺さる光景だった。

最悪のタイミングで携帯が鳴った。ワカナからのリダイヤルだった。無視してしまおうとも考えたが、後にまたかかってきたら面倒なので、俺は電話に出た。

「クスノキさん、さっき電話かけてきましたよね？　どうかしたんですか？」

おそらくいつもと変わらない口調でそういったのだろうが、先ほどの話のせいか、ワカナの声が俺を責めているように聞こえた。「今更電話なんてかけてきてどういうつもりですか？」とでもいわれているような。

「悪かったな、間違えてかけちまったんだ」

俺は努めて明るく、そういった。

「そうですか。まあ、そうですよね。クスノキさん、自分から人に電話かけるような人じゃありませんもんね」とワカナは笑った。その笑い方にもまた、嘲《あざけ》りが込められているように感じられた。「だからこそ、私はあなたを見限ったんですよ」といわれている気がした。

「ああ、そうだな」

わざわざかけ直してくれてありがとう、といって俺は通話を切った。

隣部屋は、一層賑《にぎ》やかになっていた。

部屋に戻る気になれず、俺はその場で煙草に火を点けた。二本吸い終えると、近所のスーパーマーケットに向かい、ゆっくりと店内を回って、ビールの六缶パックと唐揚げ、カップラーメンを買い物カゴに入れた。そこで俺は初めて、寿命を売って得た三十万円に手をつけることになった。折角だから贅沢《ぜいたく》をしてやろうと思ってはいたのだが、何を買えば贅沢に当たるのか、俺にはさっぱりわからなかった。

ミヤギは手に持ったカゴに、カロリーメイトやミネラルウォーターといった味気ない飲食物を大量に入れていた。彼女がそういった買い物をすること自体はまったく不思議ではないのだが、購入したそれらを彼女が実際に口にする場面を想像しようとしても、上手くできなかった。どこか人間味の感じられない子なので、食事というもっとも原始的で人間的な行為が似あわないのだ。

それにしても……これじゃあまるで、同居中の恋人同士が二人で買い物をしているみたいだな、と俺は心の中でこっそり呟《つぶや》いた。それは実に馬鹿げた——けれども幸せな——錯覚だった。擦れ違う人々が俺と同じ錯覚を抱いていてくれればいい、とさえ思った。

念のためにいっておくと、俺はこのミヤギという女の子の存在自体は、ずっと疎ましく感じている。ただ、昔から俺は、同居している女の子と部屋着のまま出かけて食材や酒を買って帰ってくるという行為に、密かに憧れを抱いていた。そういうことをしている連中を見かける度に、浅い溜め息が漏れたものだった。そういうわけで、たとえ監視が目的だろうと、若い女の子と夜中のスーパーで買物をするのは楽しかった。むなしい幸せ。でも本当にそう感じるのだから、仕方がない。

ミヤギは一足先にセルフレジで手早く会計を済ませていた。買物袋をぶら提げて、二人でアパートに戻った。隣部屋の騒ぎは相変わらず続いていて、壁の向こうから頻《ひん》繁《ぱん》に足音が聞こえた。

正直いって、俺は彼らが羨《うらや》ましかった。これまで、こんな気持ちになったことはなかった。楽しげに騒いでいる連中を見ても、「一体何がそんなに楽しいんだろう？」くらいの感想しか抱かなかった。

だが、死を意識するようになったことによって、これまで俺が必死に歪めてきた価値観は見事に正常化されてしまったようだ。

人並みに、人恋しかった。

こういうとき、大抵の人間は、家族という存在に救いを見いだそうとするのかもしれないな、と俺は思った。どんな状況になろうと家族だけは味方でいてくれるのだから、最終的にはそこに帰るべきなんだ――そういう考え方があることは、知っている。

　しかし、家族というものが誰にとっても心温まる存在であるとは限らない。少なくとも俺は、残り三か月、何があっても、家族とだけは連絡を取らないつもりでいた。余命が残り少ないからこそ、自ら不快な思いをしにいくことだけは、絶対に避けなければならなかった。

　幼い頃から、俺は弟に両親の愛情を奪われ続けてきた。もともと、弟の方が、あらゆる能力面で俺より優れていた。性格もまっすぐだったし、背も高く、顔もよかった。十二歳の頃から十九歳の今まで恋人を絶やしたことはなかったし、通っている大学も俺より優秀だった。運動神経もよく、高校生のときには甲子園《こうしえん》でマウンドに登った。兄の俺が勝っている要素は何一つなかった。伸び悩むどころか能力を失いさえする俺と、加速的に成長していく弟との差は、年々広がっていくばかりだった。

　弟に愛情が傾いていったのは当然のことだったし、兄の俺が両親から失敗作のように扱われても、それが不公平なことだとは思わなかった。事実俺は、弟と比べれば、失敗作だった。仮に俺と弟に平等に愛情が注がれたとしたら、それこそ不公平というものだ。俺が親だったら同じことをしただろう。より愛し甲斐《がい》がある方を愛し、より投資し甲斐がある方に投資して、何が悪いというのか？

今から実家に帰って、家族の無償の愛情とやらに包まれて穏やかに過ごせる可能性は、ほぼゼロだった。今から隣部屋の騒ぎに飛び込んで、そこに受け入れられる可能性の方が、まだ高い。

湯を沸かしている間も、唐揚げをつまみにビールを飲んだ。カップラーメンができあがる頃には、俺は早くもいい塩梅《あんばい》に酔っ払っていた。やはり、こういうときアルコールは心強い。量さえ間違えなければ。

部屋の隅でノートに何かを書きこんでいるミヤギに近付き、「一緒に飲まないか？」と俺は誘った。相手は誰でもよかった。ただ一緒に酒を飲んでくれれば、それでいいのだ。

「結構です。仕事中ですから」とミヤギはノートから顔も上げずに断った。

「さっきから気になってたんだが、何を書いてるんだ？」

「行動観察記録です。あなたの」

「そうか。じゃあ教えてやろう。今俺は、酔っ払ってるよ」

「そうでしょうね。そう見えます」とミヤギはうなずく。

「それだけじゃなく、今俺は、あんたと酒を飲みたがっている」

「知ってます。さっき聞きました」

ミヤギは面倒くさそうにそういった。

5. これから起こることすべて

明かりを消して酒を飲み続けた。幸いなことに、この日の俺は安らかに酔うことに成功していた。こういうときは気分の流れに逆らわず、むしろ自ら絶望の淵に飛び込んで生温かい自己憐憫《れんびん》に浸ることこそが手っ取り早く立ち直るこつなのだ。

見慣れた部屋が、少しだけ違う意味を持ち始めていた。窓から差し込む月明かりで紺色に染まり、夏の夜風が吹き込むその部屋は、隅で座敷童《ざしきわらし》みたいにじっとしているミヤギの存在もあって、まるで今までとは異質な空間に感じられた。俺はこの部屋に、そういう顔があることを知らなかった。

自分が舞台袖《そで》にいるような感覚があった。そこから踏み出したとき、ようやく俺の演技が始まるような気がした。

突然、今の自分になら、何だってできる気がしてきた。それは酔っ払ったことで一時的に自分の無能を忘れたための傲慢《ごうまん》に過ぎないのだが、俺は自分の中で何かが変わりつつあるのだと勘違いしたのだ。

ミヤギに向かって、高らかに宣言する。

「俺は、残された三か月の間に、寿命を売って得たこの三十万円で、何かを変えてみせる」

そういうと、缶に残っていたビールを飲み干して、テーブルの上に勢いよく置いた。

しかし、ミヤギの反応は冷ややかなものだった。

数センチ目線を上げて、「そうですか」とだけいって、またノートに目線を落とした。

俺は構わず続けた。

「たった三十万円だろうと、これは俺の命だ。三千万や三十億よりも価値のある三十万にしてやる。死に物狂いで努力して、この世界に一矢《いっし》報《むく》いてやる」

酔っ払った俺の頭には、それはとてもいい台詞に聞こえた。

それでも、ミヤギはしらけっぱなしだった。

「皆、同じようなことをいうんですよ」

ペンを脇に置くと、ミヤギは膝を抱え、間に顎《あご》を埋めていった。

「似たような台詞を、これまで五回くらい聞きました。皆、死期が近づくにつれ、発想がどんどん極端になっていくんですよ。特に、あまり満たされていたとはいえない人生を送ってきた人は、その傾向が強いんです。賭《か》け事に負け続けてきた人が、より非現実的な一発逆転ばかりを狙うようになるのと同じ理屈で、人生に負け続けてきた人は、非現実的な幸せを望むようになるんでしょうね。多くの人が、死を前にして相対化された生の輝きを目の当たりにして、ようやく活力らしいものを取り戻し、『これまでの自分はどうしようもない人間だったが、過ちに気付いた今の自分になら、何だってできる』という思考に陥ってしまうんですが――思うに、そうした人たちは致命的な勘違いを犯してしまっています。彼らは、ようやくスタート地点に立ったというだけなんです。負け続けのギャンブルで、ようやく冷静さを取り戻したというだけなんです。それを一発逆転のチャンスだと勘違いすると、ろくなことになりませんよ。……クスノキさん、よく考えてみてください。あなたの寿命の価値があそこまで低かったのは、あなたが残りの三十年で、何一つ成し遂げられないからです。それはわかっているんでしょう?」

ミヤギは突き放すように、いった。

「三十年で何一つ成し遂げられないような人が、たった三か月で何を変えられるっていうんですか?」

「……やってみなきゃ、わからないさ」

場当たり的に反論した俺だったが、その言葉のあまりの空虚さに、自分でもうんざりした。

やる前からとっくにわかりきっているのだ。彼女の言い分は、どこまでも正しい。

「もっと、ありきたりで平凡な満足を求める方が賢明だと思いますよ」とミヤギはいった。「どうせもう、取り返しはつかないんです。三か月という期間は、何かを変えるには短すぎます。とはいえ、何もしないで過ごすには少々長すぎます。だったら、小さくても確実な幸せを積み重ねていった方が、利口だとは思いませんか？　勝とうなんて思うから負けるんですよ。負けの中に勝ちを見いだす生き方の方が、失望は少なくて済みます」

「わかったわかった、あんたのいうことは正しい。だが正論はもうたくさんだ」と俺は首を横に振った。酔っ払っていなければ向きになって反論を続けていたかもしれないが、今の俺には彼女の正論を覆すだけの気力は残っていなかった。「きっと俺は、自分の無能さってやつを、いまいち理解しきれていないんだろう。……なあ、教えてくれないか、これから起こること、すべて。俺はその失われた三十年間を、どう過ごすことになっていたんだ？　それを聞けば、もう、自分に過剰な期待を抱かなくて済むようになるかもしれない」

ミヤギはしばらく口を開かなかったが、ふと諦めたようにいった。

「そうですね。この際あなたは、すべて知った方がいいのかもしれません。……ただ、念のためにいっておきますけど、私の話を聞いて、あなたが自暴自棄になる必要はありませんからね。私が知っているのは、〝起こるかもしれなかった〟けど、今ではもう、〝絶対に起こり得ない〟ことなんですから」

「わかってる。俺がこれから聞くのは、占いみたいなものさ。……そして一ついわせてもらうと、自暴自棄になる必要なんてのは、いつだってないんだ。ただそうなる他ないからそうなるというだけで」

「そうならないことを願いますよ」とミヤギはいった。

地響きのような音がした。巨大な塔が倒れたような音だった。それが花火の音だと気付くまでに時間がかかったのは、俺がここ数年、まともに打ち上げ花火というものを見ていなかったからだ。

いつだってそれは、窓越しに見るものだった。屋台で買ったお好み焼きを食べながら見るようなものではなかったし、手を握りあいながら恋人の顔と交互に見るものでもなかった。

物心ついたときから、日陰者の俺は、人の集まる場所を避けて生きてきた。自分がそういう場所にいるのは間違ったことのように感じられたし、そこで誰か知りあいに会ったときのことを考えると、腰が引けた。小学生の頃は、誰かに強いられでもしない限り、公園にもプールにも学校の裏山にも商店街にも夏祭りにも花火大会にもいかないようにしていた。高校生になっても盛り場には近づかず、街を歩くときはできるだけ大通りを避けた。

最後に打ち上げ花火を見たのは、本当に幼い頃だ。

そのときも隣には、ヒメノがいた気がする。

間近で見る打ち上げ花火がどれほど大きいか、俺はもう忘れてしまっていた。間近で聞くその音がどれほど大きいかも、同様に覚えていなかった。近くでは火薬の臭いがするのだろうか？　煙はどの程度空に残るのだろうか？　会場の人々はどんな顔で花火を眺めるのだろうか？　そうやって一つ一つ考えてみると、俺は花火についてほとんど何も知らなかった。

窓の外を眺めたいという誘惑が俺を襲ったが、ミヤギが見ている手前、そういうわびしい真似をする気にはなれなかった。そんなことをしたら、ミヤギにこんな風にいわれるかもしれない。「そんなに花火が見たいなら、見にいけばいいんじゃないですか？」。そうしたら俺は何と答えるだろう？　周りの目を気にして気後れしてしまうから嫌だ、とでも答えるのか？

　どうして俺は余命も残り少ないのに、未だに他人の目が気になってしまうのだろう？

　必死に誘惑と戦う俺を嘲笑《あざ》うかのように、ミヤギは俺の前を横切り、網戸を開け、窓から身を乗り出して打ち上げ花火を眺め始めた。綺麗なものを見て感動しているというよりは、珍しいものを見て感心しているという様子だったが、何にせよ、そういうものに興味がないわけではないらしい。

「おいおい、そんなもの見てていいのか、監視員さん。俺が突然逃げ出したりしたらどうするつもりだ？」

　ミヤギは花火を見つめたまま、「見張っていてほしいんですか？」と皮肉っぽくいった。

「まさか。早いところいなくなってほしいね。あんたに見られてると、どうもやりにくい」

「そうですか。よほど後ろめたいことでもあるんですかね。……ちなみに、あなたが逃げ出して、私と一定距離以上離れてしまった場合、やはり他者に迷惑をかける意思があるものと見なされ、寿命を抜かれて死ぬことになりますので、お気を付けください」

「一定距離って、どれくらいだ？」

「そこまで厳密なものではありませんけど、大体、百メートルというところではないでしょうか」

そういうことは最初にいってほしいものだ。

「気を付けるよ」と俺はいった。

次々と小気味よい音が空に響いた。打ち上げ花火は佳境《かきょう》に入ったようだった。いつの間にか、隣部屋の騒ぎは収まっていた。彼らもこの花火を見にいったのかもしれない。

そうしてようやく、ミヤギは話し始めた。〝起こるかもしれなかったこと〟について。

「さて、失われた三十年間のことですが……まず、あなたの大学生活は、瞬く間に終わります」とミヤギはいった。「生活費を稼ぎ、本を読み、音楽を聴き、あとはひたすら眠るだけ。代わり映えのない空っぽな毎日は、段々と、一日一日を区別することさえ困難にさせていきます。そうなってしまうと、日々は、飛ぶように早く過ぎるものです。何一つ確かなものは身に付けられないまま大学を卒業してしまったあなたは、皮肉にも、希望に満ち溢れていた頃の自分がもっとも軽蔑していた職に就きます。そこで潔く状況を受け入れられればよかったのですが、あなたはどうしても『かつて特別であった自分』を忘れることができず、『ここは俺の本当の居場所じゃない』という意識が邪魔をして、どうしても職場に馴染めません。毎日、死んだ目で自宅と職場を往復し、身を粉にして働いて、ものを考える暇もなく、次第に、お酒を飲むことばかりが楽しみになっていきます。『いつかは偉くなってやる』という野心も消え、子供の頃に描いた理想とはかけ離れた人間になるんです」

「決して珍しい話じゃない」と俺は口を挟んだ。

「そう、決して珍しい話じゃありません。そこにあるのは、いたって平凡な絶望です。もっとも、そこから受け取る苦痛は人それぞれです。あなたにとって、あなた自身は、誰よりも優秀でいる必要がある人物でした。精神的に頼るべき相手がいないあなたの世界は、あなたが一人で支えるしかなかったんです。その一本柱が折れたときに生じた苦痛は、あなたを破滅に向かわせるに十分なものでした」

「破滅？」と俺は訊きかえした。

「気付けばあなたは、三十代後半に差し掛かっていました。孤独なあなたの趣味は、バイクに乗って当てもなく走ることでした。しかし、あなたも知っての通り、それは危険な乗り物です。特に、半ば自分の人生を諦めてしまっている人を乗せているよう

「……不幸中の幸いは、あなたが誰かの運転する車と衝突したり、歩行者を撥《は》ねたりしたわけではなく、単に一人で転倒しただけだった、という点です。しかしその事故によって、あなたは失いました。顔の半分と、歩く機能と、指の大半を」

顔の半分を失う、という言葉の意味を理解するのは簡単だったが、想像するのは難しかった。

多分それは、誰が見ても、「顔だった場所」としか認識できないような、惨憺《さんたん》たる有様になるということだろう。

「自身の容姿をよりどころの一つとしていたあなたは、いよいよ最後の手段に出ることを考えます。ですが、どうしてもあと一歩が踏み切れませんでした。最後に残った一滴の希望が、捨てきれなかったんです。『それでも、いつかいいことがあるかもしれない』という希望が。……確かにそれは、誰にも否定できない話なんですが、でも、それだけです。ある種の悪魔の証明に過ぎません。そんな頼りない希望を胸に、あなたは五十歳まで生き続けますが――結局、何一つ得られないまま、ぼろぼろになって、一人で死んでいきます。誰にも愛されず、誰にも記憶されず。最後まで、『こんなはずじゃなかったんだ』と嘆きながら」

奇妙なものだ。

その話を、俺は、すんなりと受け入れることができてしまった。

「さて、ご感想は？」

「そうだな。ひとまず、三十年売り払っておいて、本当によかったと思ってるよ」

そう俺は答えた。強がりではなかった。本人もいっていたように、ミヤギのいう〝起こるかもしれなかったこと〟は、逆に今となっては、〝絶対に起こり得ないこと〟なのだ。

「どうせなら、三か月も残さないで、三日だけ残して売り払えばよかったな」

「今からでも間にあいますけどね」とミヤギがいった。「まだあなたは、二回、寿命の売買が許されていますから」

「残り三日になれば、あんたも俺の傍からいなくなるんだろう？」

「ええ。どうしても私の存在が気に食わないというなら、そうすることも選択肢の一つですよ」

「覚えとくよ」と俺はいった。

実際のところ、残りの三か月にもこれといった希望の持てない俺にとっては、三日だけ残して寿命を売り払うのがもっとも冴えたやり方なのだろう。しかし、それを思いとどまらせるのは、やはりここにきても、「それでも、いつかいいことがあるかもしれない」という悪魔の証明的希望なのだった。

ここからの三か月は、ミヤギの話した〃失われた三十年〃とは完全に別物だ。未来は確定していない。ひょっとしたら、何かいいことがあるかもしれない。我慢して生きてきてよかったと思えるような出来事が、この身に起きるかもしれない。

可能性は、ゼロではない。

そう考えると、まだ死ぬわけにはいかなかった。


真夜中に雨の音で目を覚ました。壊れた雨どいから零《こぼ》れた水が地面を叩く音が絶え間なく聞こえていた。時計を見ると、午前三時過ぎを指していた。

甘い香りが部屋に漂っていた。久しく嗅《か》いでいない匂いだったから、それが女物のシャンプーの香りであるということには中々気付けなかった。

消去法的にいって、その匂いの主がミヤギであることは間違いなかった。考えられるのは、俺が寝ている間にミヤギが風呂《ふろ》に入ったということだ。

しかし、その結論はどうも受け入れがたかった。自慢ではないが、俺の眠りはいつだって、うたた寝と呼んでいいくらいに浅い。新聞配達や上階の足音といった、ちょっとした物音ですぐに目を覚ましてしまう。そんな俺が、ミヤギがシャワーを浴びている間、一度も目を覚まさなかったというのは妙だった。雨の音に上手いこと紛れていたのだろうか。

俺はその結論を先送りにした。知りあったばかりの女の子が自分の家でシャワーを浴びていたと思うと妙な気分になったが、そちらについても考えないことにした。それよりも、明日に備えて眠る必要があった。こんな雨の夜に起きていたって仕方がない。

しかし簡単に寝付けそうにはなかった。そこで俺はいつものように音楽の力を借りることにした。売らずにおいたCDの一枚、「プリーズ・ミスター・ロストマン」を枕元のプレイヤーにセットして、ヘッドホンで聴いた――これは俺の勝手な理屈だが、眠れぬ夜に「プリーズ・ミスター・ロストマン」を聴くようなやつにまともな人生は送れない。こういう音楽を用いて、俺は世界に馴染めずまた馴染もうとしない自分を赦《ゆる》し過ぎた。

その付けを、今、払わされているのかもしれない。

6. 変わってしまった人、変われなかった人

雨は翌朝《よくあさ》も降り続いていた。起床後すぐに行動に移らないことの言い訳になるくらい、強い雨だった。おかげで俺は、これからすべきことについてじっくり考えることができた。

「死ぬ前にやりたいことリスト」を俺が眺めていると、ミヤギが近寄ってきて、「今日はどんな風に過ごすんですか？」と訊いてきた。彼女の口から悪いニュースを聞かされることに慣れてしまっていた俺は、何をいわれても動じないでいられるよう覚悟を決めて次の言葉を待ったが、ミヤギはそれだけいうと、後はじっとリストを見おろすだけだった。特に深い意味のない質問だったらしい。

俺はそんなミヤギを、改めて観察した。

初めて会ったときからずっと思っていたことだが、ミヤギの外見は、それなりに整っている。

いや、はっきりいってしまおう。容姿に限った話をすれば、彼女は俺の好みそのものだ。涼しげな目、憂鬱《ゆううつ》そうな眉、きつく結ばれた口元、綺麗な形の頭、柔らかそう

な髪、神経質そうな指、ほっそりとした白い太腿《ふともも》――挙げ始めたらきりがない。

それだけに、彼女がこの部屋を現れたその瞬間から、振る舞いには気を遣うようになっていた。あまりに好みに合致した女の子の前だと、迂闊《うかつ》にあくびもできない。自分の崩れた表情や間抜けな息遣いを隠したくなるのだ。

もし監視員が、この女の子と対照的な、醜《みにく》く太った不潔な中年などであれば、俺はもっとリラックスして自分のやりたいことについて正直に考えることができただろう。しかしこうしてミヤギが傍にいることで、俺は自分の歪んだ欲望や情けない願望などを必要以上に恥じるようになってしまっていた。

「これは個人的な意見なんですけど」とミヤギがいった。「そのリストに書かれているのは、本当にあなたが、心の底からやりたいと思っていることなんですか？」

「俺もそれについて考えてたとこなんだ」

「こういってはなんですけど……私にはどうも、あなたが、『自分でない誰かが、死ぬ前にしそうなこと』をリストに並べているようにしか見えないんですよ」

「そうかもしれないな」と俺は認めた。「本当のところ、俺には死ぬ前にやりたいことなんて、一つもないのかもしれない。しかし、それでも何もしないわけにはいかないから、こうやって誰かの真似をしてるんだ」

「それでも、もっとあなたに向いたやり方がある気がするんですけどね」

何やら意味深なことをいうと、ミヤギは所定の位置に戻っていった。

その朝に俺が達した結論は、次のようなものだった。

俺はもう少し、自分の歪《ゆが》んだ欲望や情けない願望に正直になる必要がある。もっと俗っぽく、もっと厚かましく、もっと下品に、本能の赴くままに最後の三か月を過ごすべきなのだ。

今更、何を取り繕う必要があるというのだろう？　失うものなど何もないとわかっているはずなのに。

俺は「死ぬ前にやりたいことリスト」をもう一度見つめ、意を決し、知人の一人に電話をかけた。

今度の相手は、数コールでそれに応じてくれた。


傘を持って外に出た俺が駅に着く頃には雨が止んでいたのは、俺という人間の間の悪さを象徴するかのような出来事だった。さっきまでの雨が嘘のように晴れ渡った空の下で傘を手に歩いていると、自分の持っているものがスケート靴か何かのように不適切なものに感じられた。

濡れた路面がぎらぎらと輝いていた。暑さから逃げるように駅に入ったが、そこもさして変わらない暑さだった。

列車を利用するのは久しぶりだった。ホームの待合室に入り、ごみ箱の横に設置された自販機でコーラを買うと、ベンチに腰を下ろし、三口で飲み干した。ミヤギもミネラルウォーターを買い、目を閉じてこくこくと飲んでいた。

窓から空の様子が見えた。そこにはうっすらと虹《にじ》が浮かんでいた。

そんな現象があることさえ、俺はすっかり忘れていた。虹という現象がどのようなもので、どのようなときに起こり、どのような印象を人にもたらすのかは知っていたはずなのだが——もっとも基礎的な知識、「それが実在するものである」ということを、いつしか完全に忘れてしまっていたようだった。

まっさらな目でそれを見て、初めて気付くことがある。空に架《か》かる巨大な弓は、俺には全部で五色程度にしか見えず、七色には二色足りない。赤、黄、緑、青、紫。自分が飛ばしたのは何色だろう、とそれぞれの色を架空《かくう》のパレットで混ぜてみて、それが橙《だいだい》と藍《あい》だったことがわかった。

「そうですね、よく見ておいた方がいいでしょう」とミヤギが横でいった。「これが、最後に見る虹になるかもしれませんから」

「そうだな」と俺はうなずいた。「そしてさらに付け加えると、この待合室を利用することだって二度とないかもしれないし、コーラを飲むのもこれきりかもしれないし、空き缶を投げるのも最後になるかもしれない」

俺は飲み干したコーラの缶を水色のごみ箱に向かって放り投げた。缶同士がぶつかりあう音が待合室に響いた。

「何だって、最後になるかもしれない。でもそんなの、寿命を売る前から、ずっとそうなんだ」

とはいいつつも、ミヤギの発言を受けて、俺はちょっと焦り始めていた。

虹や待合室やコーラや空き缶については、まだいい。しかし――これから死ぬまでの間に、俺は一体、あと何枚のCDを聴けるだろう？　何冊の本を読めるだろう？　何本の煙草を吸えるだろう？

そういう考え方をし出すと、途端に俺は空恐ろしくなった。

死ぬというのは、死に続ける以外のことすべて、二度とできなくなるということなのだ。

降りた駅からバスで十五分ほどのところにあるレストランで、俺はナルセと会うことになっていた。

ナルセは高校時代の友人だった。背は平均と同じかそれより少し低い程度、少々彫《ほり》が深すぎる顔の持ち主だった。頭の回転が速く、人を惹《ひ》きつけるような喋り方ができるために、周りから好かれていた。そんな彼と、日陰者の俺の仲がよかったというのは、今思うと不思議な話だ。

俺たちには一つ、共通の見解があった。世に存在する大抵の物事には笑い飛ばすだけの余地がある、というのがそれだ。高校時代、よく俺たちはファーストフード店に長いこと居座って、不謹慎といえるくらいにありとあらゆる日常の出来事を茶化したものだった。

またあんなふうに、すべてを笑い飛ばしたかった。それが一つ目の目的だった。

それと同時に、俺は、もう一つ別の目的を持って彼に会いにきていた。

ナルセの到着を待つ俺の隣、通路側の席には、ミヤギが座っている。四人席だが、椅子がそれほど広く作られていないので、俺とミヤギの距離は自然と近くなる。そんな至近距離で、ミヤギは俺をじっと監視している。ときどき俺と目があうことがあっても、まったく頓着《とんちゃく》しない様子で俺を見つめ続ける。

　こうやって、どこにいってでも付きまとってきて視線を送り続けてくるミヤギと俺の関係性を、ナルセが、俺にとって都合のいい方向に勘違いすればいい——それが俺の望みだった。

　その望みがどうしようもなく情けないものであることは、俺も認めるところだ。しかし、そうしたいのなら、そうする他あるまい。悲しいことだが、寿命を売り払って以降初めて、俺がはっきりと「やりたい」と思ったことがそれだったのだから。

「なあ、監視員さん」と俺はミヤギに話しかける。

「なんでしょうか」

　俺は首元をかきながらいう、「ひとつ、頼みがあるんだが——」

　これからやってくる男に何を訊かれても適当に濁してくれ、と俺はミヤギに頼もうとしたのだが、いつの間にかウェイトレスがテーブルの脇に立ち、満面の笑みを俺たちに向けていた。「失礼します。ご注文はお決まりでしょうか？」

　仕方なく、俺はコーヒーを注文した。ウェイトレスが注文の確認をしてきたので、念のために俺はミヤギに訊いた。

「あんたは何も頼まなくていいのか？」

するとミヤギは、妙に気まずそうな顔をした。

「……あの、人前で、私に話しかけない方がいいですよ」

「何かまずいことでもあるのか？」

「一応、最初にも説明したつもりだったんですけど——あのですね、私たち監視員の存在って、監視対象の方以外には知覚できないんですよ。このように」

そういうとミヤギはウェイトレスの袖を摑み、小さく揺さぶった。

ミヤギのいう通り、ウェイトレスは、何の反応も示さなかった。

「私が人に与える感覚は、すべて『なかったこと』として処理されるんです」といって、ミヤギはグラスを手に取る。「だから、こうやって私がグラスを持ち上げても、彼女にはグラスが浮いているように見えるわけではありません。だからといって、グラスが消えたように見えるわけでもなく、動いていないように見えるわけでもなく、ただ、『なかったこと』にさせられるんです。私という存在は、『いる』ことを知覚されないどころか、『いない』ことさえ知覚されないんですよ。……ただし、例外がありま す。それは、唯一監視員のことを知覚できる存在である、監視対象者が絡んだ場合です。困ったことに、『あなたに認識されている私』そのものは『なかったこと』にできても、『私を認識しているあなた』だけは、『なかったこと』にできないんですよ。……

ようするに、クスノキさん。あなたは今、誰もいない空間に向かって喋りかけているように見えていたんです」

俺はウェイトレスの表情を窺う。

狂人でも見るかのような目つきで、彼女は俺のことを見ていた。

数分後、俺は届いたコーヒーを啜《すす》りながら、これを飲み終えたら、ナルセにも会わずに帰ってしまおうかと考えていた。彼の到着があと数十秒遅ければ、俺は実際にそうしていただろう。だが決心が固まる寸前に、ナルセが店に入ってくるのが見えた。やむを得ず、俺は彼に向かって手招きした。

席に着いた彼は、大袈裟《おおげさ》に俺との再会を喜んだ。やはり、俺の隣にいるミヤギにはまったく気付いていない様子だった。

「久しぶりだな。元気にしてたか？」とナルセはいった。

「ああ、そりゃもう」

あと半年もしないうちに死ぬ奴のいうことじゃないな、と俺は思った。

互いの近況を伝えあい終える頃には、俺たちは高校時代に戻ったかのような調子で話せるようになっていた。具体的に何を話したのかはあまり覚えていないが、会話の中身なんて、どうでもよかった。自分たちの文法を通して物事を掻《か》っ捌《さば》いていくことが、俺たちの会話の目的なのだ。ナルセと俺は、話した傍から忘れるようなくだらないことを垂れ流して、笑いあった。

余命の件については、一切話さないことにした。信じてもらえるかどうかわからなかったし、せっかくの場をしらけさせたくなかった。俺があと半年もしないうちに死ぬと知ったら、ナルセは俺に対して少なからず、「失礼のないように」振る舞うだろう。冗談はほどほどに抑えてしまうだろうし、何か慰めとなることをいわなければならないという強迫観念に駆《か》られるだろう。そういうくだらないことを考えてほしくなかった。

その一言が彼の口から発されるまでは、俺は楽しくやれていたと思う。

「ところでクスノキ」とナルセは思い出したようにいった。「お前、まだ、絵は描いてるのか?」

「いや」と即答した後、俺はそれに続く言葉を慎重に探した。「……大学に入ってからは、まったく描かなくなったな」

「やっぱりそうか」とナルセは笑った。「まだ描いてたら、どうしようかと思ったよ」

それで、お終いだった。

自分でもおかしな話だとは思うのだが、この十秒足らずのやり取りで、俺の中で三年かけて培《つちか》われてきたナルセに対する好意は、実にあっけなく、消え失せてしまった。

本当にあっけないものだ。

何かを取り繕うかのように軽口を飛ばし続ける彼に、俺は声には出さず呼びかける。

なあ、ナルセ。

それだけは、笑っちゃいけなかったんだ。

確かに俺は、それを諦めた。

しかし、だからといって、それを笑っていい理由には、絶対にならないんだよ。

お前なら、それをわかってくれていると思ってたんだけどな。

ナルセに向ける俺の笑顔は、段々と形だけのものになっていった。俺は煙草に火を点け、自分からは喋らず、ナルセの言葉に相槌を打つだけになった。

隣に座っていたミヤギがいう。

「……さて、答えあわせといきましょうか」

俺は首を小さく横に振ったが、ミヤギは構わず続けた。

「あなたは今、ナルセさんのことがちょっぴり嫌いになったでしょうが、実をいうとナルセさんも、あなたが思っているほどあなたのことを好いていません。本来であれば、あなたは二年後、今日と似たような形でナルセさんと会い、些細なことをきっかけに口論となり、喧嘩別れすることになっていました。……そうならないうちに、早々に切り上げた方がいいですよ。この人に期待しても、何もいいことはありませんから」

そのとき俺がミヤギに対して癇癪《かんしゃく》を起こしたのは、友人を馬鹿にされたからではない。知りたくもなかったことを知らされたからでもないし、必要以上に皮肉めいた表現をすることが気に入らなかったからでもない。俺のかつての夢を嘲笑ったナルセへの怒りが、理不尽にミヤギに向けられたというわけでもない。

では何に腹を立てたのかと訊かれると、俺はちょっと困ってしまう。とにかく――真正面ではナルセがぺちゃくちゃと能天気なことを喋り、真横ではミヤギがぐちぐちと暗い話をし、その反対側では若い女二人が甲高い声でほぼ感嘆詞《かんたんし》のみで成立する会話を繰り広げ、背後では劇団員らしき連中が自分に酔った様子で熱心そうに持論を語り、奥の席では学生集団が手拍子しながら大声で騒いでおり――突然、そういうのが耐えられなくなったのだ。

うるせえよ、と俺は思った。

どうしてもっと静かにできないんだ?

次の瞬間には、俺は手の中のグラスを、ミヤギのいる側の壁に投げつけていた。

想像以上に大きな音がしてガラスが飛び散ったが、それでも店内は一瞬静まり返っただけで、またすぐに騒がしくなった。ナルセが目を見開いて俺を見ていた。店員が駆けつけてくるのが見えた。ミヤギが溜め息をついていた。

一体俺は、何をやっているのだろう？

千円札を何枚か取りだしてテーブルに置くと、俺は逃げるように店を出た。

バスに乗って駅へ戻る途中、窓の外を眺めていると、古ぼけたバッティングセンターが目についた。俺は降車ボタンを押してバスを降り、そこで三百球ほどを打った。バットを置く頃には、手は痺《しび》れて血だらけで、おまけに汗だくだった。

俺は自販機でポカリスエットを買い、ベンチに腰掛けてゆっくり飲みながら、会社帰りと思《おぼ》しき男たちがバットを振る様子を眺めた。照明の具合のせいかもしれないが、様々なものの色あいが、異様に青っぽく見えた。

ナルセとあんな形で別れてしまったことを、俺は後悔していなかった。今となっては、自分が本当に彼に好意を持っていたのかどうかも疑わしかった。ひょっとすると俺は、ナルセという人物を気に入っていたのではなくて、自分の考えを肯定してくれる彼を通して、俺自身を愛していたというだけなのかもしれない。

そして、変わってしまったナルセと、変われなかった俺と。

正しいのは、多分、ナルセの方なのだろう。

バッティングセンターを後にし、駅まで歩いた。ホームに出ると、すぐに列車がきた。車内は部活帰りの高校生で溢れていて、俺は急激に年老いたような気分になった。目を閉じて、列車の走行音に注意を向けた。

既に夜になっていた。アパートに戻る前に、コンビニに寄った。駐車場には大きな蛾《が》が何匹もいたが、どれも動く気配はなかった。ビールとつまみを持ってレジへ向かうと、ジャージにサンダルの大学生の男女が俺と同じような買い物をしていた。

帰宅した俺は、缶詰の焼肉に葱《ねぎ》を添えて温めたものを食べながらビールを飲んだ。死ぬまでにあと何リットル酒を飲めるのだろうと考えると、ビールはよけいに美味しくなった。

「おい、監視員さん」と俺はミヤギに話しかけた。「さっきは、あんなことして悪かった。俺は、ちょっと混乱していたんだと思う。時々、かっとなって、ああいう行動に出てしまうことがあるんだ」

「ええ。知ってます」とミヤギはいった。その目にはどこか、俺に対する警戒心のようなものが窺《うかが》えた。無理もない。話の最中に突然グラスを投げつけてくるような男の前では、誰だってそうなる。

「怪我《けが》はないか？」

「ありませんよ。残念ながら」

「なあ、本気で悪かったと思ってるんだよ」

「いいですよ。当たりませんでしたから」

「その観察記録とやらを書き終えたら、一緒に飲まないか？」

「……私とお酒を飲みたい、ということですか？」

　その反応は予想していなかった。こういうときは正直に答えた方がいいんだろうな、と俺は思った。「そりゃもうな。寂しいから」

「そうですか。でも、申し訳ありませんけど、仕事中なので」

「じゃあ最初からそういえよ」

「すみません。ただ、ちょっと不思議に思ったんです。どうしてそんなことというんだろう、って」

「俺だって人並に寂しいときもあるさ。あんたが他に見てきた連中だって、きっと、死ぬ前には人恋しそうにしてただろう？」

「覚えていません」とミヤギはいった。

ビール缶をすべて空にして、熱いシャワーを浴びて歯を磨き終える頃には、健康的な眠気が訪れていた。バッティングセンターの疲れのおかげだろう。

明かりを消し、布団に潜る。

どうやら認識を改める必要があるみたいだな、と俺は思った。

いくら死期が近いからといって、世界が急に優しくなるなどということはないのだ。世界が優しいのは、おそらく、既に死んでしまった人に対してのみだ。そんなことはわかりきっていたはずなのに、甘えた考えが抜けきらない俺は、心のどこかで、世界が急に優しくなることを期待していたらしい。

7．タイムカプセル荒らし

いざ遺書を書こうとした俺は、どんなことを書くにもまず、読者が想定されていないことには書き始められないということに気付いた。

近所の文具屋で買ってきた便箋《びんせん》を前にペンを握ったまま、俺はそこに書くべきことについて長いこと考えていた。窓の外の電柱に蟬がとまっているらしく、部屋の中で鳴かれているような喧《やかま》しさだった。蟬がいる間は筆が進まないことを鳴き声のせいにできたが、蟬が飛び去った後も、俺は変わらず一文字も書き出せずにいた。

そもそも俺は、この遺書が誰に読まれることを期待しているのだろう？　言葉というのは伝達手段だ。俺が書く言葉は、俺の中にある不可視の何かを、誰かに伝えるために書かれなければならない。

俺は誰に何を伝えたいのだろう、と自問して真っ先に思い浮かぶのは、やはり幼馴染のヒメノのことだった。となると、俺はこの遺書に、ヒメノに向けた感謝の言葉や愛の告白を記すべきなのだろうか。

試しに俺は一時間ほどかけて、じっくりと彼女に向けた手紙を書いてみた。できあがったそれの内容を要約すると、こんなところだ。

今更お前が俺のことをどう思おうと知ったことじゃないが、俺は十歳のあの日からずっと、お前のことを愛し続けてきた。俺が二十歳になるまで死なずに生きてこられたのは、隣にお前がいた頃の思い出があったからだし、俺が二十歳より先を生きられずに死ぬのは、隣にお前がいない世界に耐えられなかったからだ。そのことに俺は、死ぬ前になってようやく気付いた。ある意味じゃ俺は、ずっと前からとっくに死んでいたんだと思う。お前と離れ離れになった、あの日から。さようなら。十歳の俺が、お前の中で少しでも長く生き延びてくれることを願っている。

読み返してみて、俺は、この手紙が投函《とうかん》されることはないだろうな、と思った。この手紙はどこかで致命的な間違いを犯している。俺がいいたいのはこんなことではない。そして、いいたいことを正確に書き記すのは不可能だ。言葉にすると、それはかえって死んでしまうだろう。

俺の望みは、先ほど書いた文章の、最後の一文に尽きるのだと思う。十歳の俺が、ヒメノの中で少しでも長く生き延びること。そして手紙をその目的に沿ったものにしたいと思うのなら、俺はむしろ、何も書くべきではないのかもしれない。形あるものなら何だってよくて、ただ、差出人に俺の名前があれば、それで十分なのだ。宛名《あてな》にヒメノの名前があって、ただ、差出人に俺の名前があれいうなら、一言、「手紙が出したかった」とでも書けばいい。あるいは――自身の死についは一切触れず、どこまでも他愛なく日常的なことを書く、という手もあるだろう。

ペンをテーブルに放りだし、ミヤギに読まれないように手紙を折りたたんだ後、仰向けになって天井を見上げた。……それにしても、手紙なんて書いたのは、いつ以来だろう？　記憶を探る。文通なんてものは当然したことがないし、小学生の頃から年賀状やら暑中見舞いを送る相手なんていない。人生を通しても、ほんの数通というところではないだろうか。

十七歳のときのあれを除くと、俺が最後に手紙を書いたのは――小学四年生の夏だ。

十歳の夏、体育館裏にタイムカプセルを埋めた。例の、道徳の授業を通じて、初めて俺に命の価値について考える機会を与えてくれた学級担任の提案だった。

球形のカプセルには、生徒たちが書いた手紙が入れられた。

「その手紙は、十年後の自分に向けて書いてほしいんです」と彼女はいった。「急にそんなことを言われても、何を書けばいいのかわからないかもしれませんけど……そう、たとえば『夢は叶いましたか』とか、『幸せですか』とか、『このことを覚えていますか』とか、『逆に、今の私に伝えたいことは何ですか』とか、色々聞いてみるのもいいでしょう。『夢を叶えてください』とか、『幸せになってください』とか『このことを忘れないでください』とか、要望を伝えるのもいいですね」

彼女が予想しなかったはずはない。十年後にはそこにいた子供の半数が、夢を諦め、幸せではなくなり、色んなことを忘れているであろうことを。

それは、未来の自分のための手紙ではなく、それを書いている「今」の自分のための手紙だったのかもしれない。

彼女は、こうもいった。

「それと、手紙の最後には、今、あなたが一番の友達だと思っている人の名前を書いてあげてください。……そのとき、名前を書かれた相手が自分のことをどう思っているかは、あんまり気にしなくていいです。『向こうが自分のことを嫌っていようと、自分は向こうのことが好きだ！』って場合でも、書いちゃってください。もちろんそれは、先生も含め、誰にも見られないように厳重に扱いますから、安心してくださいね」

自分に向けて何を書いたかは、思い出せない。

誰の名前を書いたかは、思い出すまでもない。

タイムカプセルは十年後に掘り出されることになっていた。ちょうど今年だ。しかしそれらしい連絡はなかった。俺が呼ばれなかっただけという可能性もある。だが、そうでなかったとしたら。単に連絡係になっていた者がカプセルのことをすっかり忘れているだけだとしたら。あるいは、単にまだ連絡をせずにいるだけだとしたら。

死ぬ前にあの手紙を読んでみたい、と俺は思った。

ただし、当時のクラスメイトの誰とも会うことなく、一人で。

「今日はどんな風に過ごすんですか？」立ち上がった俺に、ミヤギが訊く。

「タイムカプセル荒らしだ」と俺は答えた。


故郷に帰るのは一年ぶりだった。プレハブ小屋のようなみすぼらしい駅を出ると、見慣れた景色が広がっていた。緑の坂の町。虫の声や草木の匂いの濃さは、俺が今住んでいる町とは比べ物にならなかった。耳を澄ましても、聞こえてくるのは鳥や虫の声ばかりだ。

「まさか、昼間から小学校に忍び込んで穴を掘るわけじゃありませんよね？」と後ろを歩くミヤギがいった。「もちろん、夜まで待つさ」

しかし、勢いに任せてここまできたはいいが、娯楽施設も飲食店もないに等しいこの町で、日が落ちるまでどうやって時間を潰すかは考えていなかった。歩いていける範囲にはコンビニさえないのだ。こんなことなら、時間をかけてでも原付でくればよかったのかもしれない。

いくら時間が余っているからといって、実家に帰るつもりはなかった。知りあいと会うのも御免だった。

「時間を持て余しているんでしたら、思い出の場所でも巡《めぐ》ってみたらどうですか？」

ミヤギはこちらの心中を見抜いたようにいった。「子供の頃は頻繁に通ったけど、ここ数年は一度も訪れていない場所とか」

「思い出の場所、か。この町には、嫌な思い出ばかりだ」

「ヒメノさんに関することを除けば、でしょう？」

「あまり軽々しくその名前を出さないでほしいな。特に、あんたの口からは聞きたくないんだ」

「そうですか。以後、気を付けましょう。……ただ、お節介かもしれませんが、誰かに会いにいくのはやめた方がいいですよ」

「そのつもりはないよ」

「ならいいんですけど」とミヤギは醒《さ》めた顔でいった。

肌に突き刺すような日差しだった。今日も暑くなりそうだ。駅の外のベンチに座って、ひとまず今後の方針を検討することにした。

ふと隣を見ると、ミヤギが日焼け止めらしきものを体に塗っていた。初めて会ったときから色白だと思っていたが、そうなるための努力もしているらしい。生真面目そうで、外見的なことには無頓着《むとんちゃく》な人間だと思っていたので、意外な感じがした。

「あんた、俺以外には見えないんだよな？」と俺は訊いた。

「基本的にはそうですね」

「いつもそうなのか？」

「ええ、監視対象以外には見えません。ですが、あなたもご存じの通り、例外もあります。たとえば、あなたが店を訪れたときのように、私が監視の仕事から外れている場合には、寿命や時間、健康を売る意思がある人に限って、私の姿を目にすることができます。……それが、どうかしましたか？」

「どうもしないさ。ただ、誰にも見えないのに、外見に気を遣ってどうするんだろう、と思ったんだ」

意外にもこの一言が、ミヤギにとっては打撃となったらしかった。

「私の気分の問題ですよ」とミヤギは気分を害したようにいった。「あなただって、人と会う予定がなくても、シャワーくらい浴びるでしょう？」

どうやらミヤギは、俺の発言で傷付いたようだった。相手が他の女の子だったら慌てて謝っていたところだろうが、相手がミヤギということで、俺はむしろ、一矢報いることができたようで嬉しかった。不用意な発言をした自分を褒めてやりたい。

歩きながら行き先を考えているうちに、自然と俺の足は、俺やヒメノの実家傍の林へと向かっていた。子供の頃、よく二人で遊んだ場所だ。結局はミヤギの提案通りになってしまったことを、俺は悔しく思った。自分の行動がいかにも平凡なものだということを証明されてしまったようだ。

なるべく実家の近所を通らないようにしたために、ずいぶん遠回りになった。昔入り浸っていた駄菓子屋に寄ったが、店を畳んでしまったらしく、看板も取り外されていた。

林道に入り、途中で道を逸れて五分ほど歩くと、目的地が見えてきた。

そこにある廃バスは、少年時代の俺とヒメノにとっての、いわゆる「秘密基地」の役割を果たしていた。赤色の塗装が微かに残っているバスは外から見ると錆《さび》だらけだが、中に入ると、椅子や床に分厚い埃《ほこり》が溜まっていることに目を瞑《つむ》れば存外綺麗なものだった。虫もたくさんいそうなものだが、ほとんど見当たらない。

かつていた自分たちの痕跡《こんせき》を探して、俺はバスの中を歩き回った。しかしそれらしいものは見当たらず、諦めて外に出ようとして、ふと運転席に目をやったとき、運よくそれが目に入った。

椅子の横に、青の油性ペンで小さく何かが書いてあった。近づいて目を凝らすと、それは矢印だった。矢印の差す方向に目を向けると、今度は別の矢印があった。六つの矢印を経由して辿りついた椅子の裏に書いてあったのは、どうやら相合傘《あいあいがさ》らしかった。小学生がふざけて他人の名前を書いたり、ひそかに自分と想い人の名前を書いたりするような。

もちろんそこに書かれていたのは、俺の名と、ヒメノの名だった。そんなものを書いた記憶はないし、この場所を知っていたのは俺とヒメノだけであったことを踏まえると、やはりそれはどう考えてもヒメノが書いたものだ。

こういった少女めいたことをする子には見えなかったのだが、と俺は顔を綻ばせた。

俺はしばらくその相合傘を眺めていた。ミヤギも背後からそれを見ていたが、皮肉めいたことをいう様子はなかった。

相合傘を目に焼き付けると、俺はバスから出て、子供の頃にそうしていたように、倒木を利用してバスの屋根に上った。落ち葉や小枝を払うと、そこに仰向けになった。ひぐらしの鳴きはじめる夕暮まで、そうしていた。


祖父の墓参りを終え、小学校へ向かう頃には夜になっていた。納屋からスコップを拝借してきた俺は、体育館裏の地面を、おおよその見当を付けて掘り始めた。非常口の緑色の明かりが辺りをぼんやりと照らしていた。

目的の物はすぐに見つかるものと思っていたが、どうやら俺の記憶違いか、あるいはとっくに掘り出されてしまったのか、汗だくになって一時間ほど掘り続けてもタイムカプセルは出てこなかった。

喉がからからだった。昨日のバッティングセンターのせいもあって、手はいよいよぼろぼろだった。ミヤギは俺が穴を掘る様子を見ながら、ノートに何か書き込んでいた。

休憩がてら煙草を吸っているうちに、ようやく記憶が戻ってきた。そう、最初は体育館裏の木の傍に埋めようとしていたのだが、近々そこに新たに木が植えられることになるかもしれないという話が入ってきて、別の場所に埋めることになったのだ。

校庭のバックネット裏を掘ると、十分と経たないうちに、硬いものに突き当たった。球形のそれを壊さないように慎重に掘り出すと、明かりの傍まで持っていった。鍵が掛かっているものと思っていたが、スライドさせただけで簡単に開いた。

最初は、自分の手紙だけを取りだして、すぐ元に戻す予定だった。しかしここまで苦労させられたことだし、どうせならすべての手紙に目を通してやろう、と俺は考えた。あと数か月で死ぬ人間には、それくらいのことは許されるはずだ。

適当に一枚を手に取り、開く。そこに書いてあった「将来の自分へのメッセージ」と「一番の友達」に目を通す。

読み終えると、手紙を元通りにして、手帳を開き、手紙の主の名前を書き、そこから矢印を伸ばして、先には「一番の友達」の名前を書いた。二枚目、三枚目と読むたびに、名前と矢印が増えていき、段々と相関図のようなものができていった。誰が誰を好いていて、誰が誰に好かれているか。どこが両想いで、どこが片想いか。

予想はしていたことだが、カプセルの手紙をすべて読み終えたとき、相関図の中で孤立しているのは、俺の名前だけだった。誰一人として、俺を「一番の友達」には選んではいなかった。

そして——ヒメノの手紙だけは、いくらタイムカプセルの中を探しても、見つからなかった。それを埋めたのが、たまたま彼女が学校を休んだ日だったのかもしれない。もし彼女がいたら、俺の名前を書いていてくれただろうに、と俺は思った。秘密基地に密かに相合傘を書くような子だ。必ずや俺の名前を書いて、ハートマークの一つや二つ、付け足してくれただろう。

ヒメノの手紙がありさえすれば。

少し前に見つけていた自分の手紙をジーンズのポケットに突っ込み、タイムカプセルを埋め直した。スコップを納屋に戻し、傍の蛇口《じゃぐち》の水で手や顔を丁寧に洗うと、小学校を後にした。

くたびれた身体を引きずって、夜道を歩く。

後ろから、ミヤギがいう。

「いい加減、わかりましたよね？　あなたは過去の人間関係にすがるべきではないんです。第一あなたは、それらをずっと、ないがしろにしてきたんです。ヒメノさんが転校した後、一度でも、あなたの方から手紙を出しましたか？　高校を卒業した後、一度でもナルセさんと連絡を取りましたか？　ワカナさんがあなたを見限ったのはなぜですか？　同窓会に顔を出しましたか？　……こういっては何ですけど、今更過去にすがろうなんて、虫がよすぎると思いませんか？」

　さすがに頭にきたが、返す言葉もなかった。

　ミヤギのいうことは、確かに正しいのかもしれない。俺のしていることは、普段は神なんて信じていないくせに、困ったときにだけ神社やら寺やら教会やらを巡って見境なく神頼みするようなことに近い。

　しかし、だとすれば——過去も未来も閉ざされた俺は、一体何にすがればいいのだろう？

　駅に着いた俺は、時刻表を見て目を疑った。とっくに終電の時間を過ぎていたからだ。地元に住んでいた頃はあまり列車を利用する機会がなかったが、いくら田舎とはいえ、ここまで極端に終電時刻が早いとは思っていなかった。

　タクシーを呼ぶこともできたし、実家を頼ることもできないわけではなかったが、最終的に俺は、その駅で一晩を過ごすことを選んだ。思うに、精神的苦痛が肉体的苦痛を上回っているよりは、その逆の方がましなのだ。俺は自分をほどよく痛めつけることで、意識をそちらに向けさせたかった。

　硬いベンチに腰かけて、目を閉じる。虫が蛍光灯にぶつかる音が、絶え間なく響いている。身体は疲れきっているので眠れないということはなさそうだったが、構内は異様に明るく、足元を色んな虫がうろついていて、あまり快適な眠りは望めそうになかった。

後ろのベンチからは、ミヤギがペンを走らせる音が聞こえた。丈夫なやつだ、と俺は感心した。ここ数日の様子を見るに、彼女はまとまった睡眠というものをほとんど取らない。夜中でも、一分寝て五分起きる、といったことを繰り返しているらしい。監視員としてはそうする他ないのだろうが、若い女がする仕事としては、あまりに過《か》酷《こく》だ。

とはいえ、同情するわけではない。自分がその役目でなくてよかったと思うだけだ。

8．不適切な行動

始発の数時間前に目を覚ました俺は、自販機で栄養飲料を買って飲んだ。体中があちこち痛んだ。まだ辺りは薄暗く、朝のひぐらしとカラス、キジバトが鳴いていた。構内に戻ると、ミヤギが座ったまま伸びをしていた。その仕草は、これまで俺が見た彼女の仕草の中で、もっとも人間的なもののように見えた。

瓶《びん》を持ったまま、俺はミヤギを見つめていた。蒸し暑い夜だったからか、彼女はサマーカーディガンを脱いで膝の上に載せ、華奢《きゃしゃ》な白い肩を出す格好になっていた。

……多分、俺は混乱していたのだと思う。それは余命三か月という状況のせいかもしれないし、度重なる失望のせいかもしれないし、寝ぼけた頭のせいかもしれないし、疲労や痛みのせいかもしれない。あるいはミヤギという女の子の容姿を、自分で考えている以上に気に入っていたからかもしれない。

何でもいい。とにかくそのとき、不意に俺は、ミヤギに酷いことをしてやりたくなった。もう少し直接的にいうならば、ミヤギを押し倒したくなった。あらゆる感情の捌《は》け口として、ミヤギを利用してやりたくなったのだ。

それは今の俺が思い付く中ではもっとも不適切な行為で、実行すれば俺の寿命が尽きさせられることは確実だったが——しかし、だからどうしたというのだろう？　たった数か月、死期が早まるだけだ。だったら、やりたいことをやって死んだ方がいい。俺は〝死ぬ前にやりたいことリスト〟にも書いたのだ、「欲望に逆らわない」と。

これまでは意識して彼女をその手の欲望の対象外に置いてきたが、一度そういう目で見始めると、ミヤギほど、その自暴自棄な行為の被害者として適切な相手はいないように思えた。どうしてかは知らないが、ミヤギという女の子は、俺の嗜虐心《しぎやくしん》を強く刺激する。常に気を張っているように見えるために、逆に時折見せる本来の弱さが目につき、それを暴いてやりたくなるのかもしれない。「あんたは自分を強く見せたがっているようだが、本当はこんなに弱いんだぞ」と思い知らせてやりたくなるのだ。

真正面に立った俺を見て、ミヤギは不穏な空気を感じ取ったのか、身構えるように姿勢を正した。

「あんたに一つ、質問があるんだが」

「……はい」

「監視員が、監視対象の〝不適切な行動〟とやらを確認してから、その寿命を尽きさせるまでの間に、どれくらいのラグがあるんだ？」

ミヤギの目に警戒の色が浮かんだ。「どうしてそんなことを訊くんですか？」

「つまり、俺がいまここで、あんたに乱暴なんかしたら、俺が殺されるまでにどれくらいかかるのか知りたいのさ」

しかし、彼女が驚く様子はなかった。

これまで以上に冷たい目で、俺を軽蔑するように見つめた。

「連絡は、一瞬で済みます。そこから二十分もかかりませんよ。そして、逃げることは絶対に不可能です」

「じゃあ、十分以上は自由にできるってわけだな？」と俺が即座に返すと、ミヤギは俺から目を逸らし、「誰もそんなことはいってませんよ」と弱々しい声でいった。

沈黙が続いた。

不思議なことに、ミヤギは逃げ出そうとしなかった。ただ、自分の膝をじっと見つめていた。

俺は彼女に手を伸ばした。

罵声《ばせい》を浴びせられたり暴れられたりするものと思っていたが、俺の手がミヤギの剥《む》き出しの肩に触れても、彼女は悲しそうな顔で身体を強張《こわば》らせただけだった。

これから俺は、ミヤギを乱暴に引き倒し、床に組み伏せして、欲望を行使するのだろう。その際、彼女はどこかに怪我をするかもしれない。あの綺麗な膝にある大きな傷を、もう一つ増やすことになるかもしれない。既にほとんど真っ暗な彼女の目から、更に光を奪うことになるのかもしれない。すべてが終わった後で、彼女はまた例の醒めた目で皮肉を吐くのかもしれない、「……満足しましたか？」。

そんなやり方で、俺は満足するのだろうか？

俺は何をしようとしているのだろう？

あっという間に、神経の昂《たかぶ》りは鳴りを潜めていった。

代わりに溢れてきたのは、強烈なむなしさだった。

ミヤギの諦めきったような目を見ていたら、悲しみが伝染してきたのだ。

俺はミヤギから手を離し、彼女の二つ隣に座った。

自分の短絡さを恥じた。

「大変な仕事なんだな」と俺はいった。「こんなクズの相手をしなきゃならないなんて」

ミヤギは俺から目を逸らしたまま、「ご理解いただけたようで、何よりです」といった。

なるほど、三十万円の価値も納得だ、と俺は思った。あと一歩で俺は、取り返しの付かないことをするところだったのだ。

「危険な仕事だ。俺みたいなやつは、少なくないんだろう？　死を前にして頭をおかしくして、監視員に怒りの矛先《ほこさき》を向けるようなやつは」

　ミヤギはゆっくり首を横に振った。

「あなたは、どちらかといえば楽なケースですよ。もっと極端な行動に出る人は、たくさんいましたから」

　俺の落ち度を庇《かば》うように、そういった。

　出会ったときから気になっていた彼女の膝の大きな傷について訊ねたかったが、黙っていることにした。俺などが、今になって手のひらを返したように心配してきたところで、鬱陶《うっとう》しいだけだろう。

　代わりに俺は、「どうしてこんな仕事をやってるんだ？」と訊いた。

「簡単な言い方をすれば、『そうせざるを得なかったから』ですね」

「簡単じゃない方を聞きたい」

　ミヤギは意外そうな顔をした。「ヒメノさん以外の存在には、興味がないものとばかり思っていましたが」

「そんなことはない。そもそも俺があんたに魅力を感じていなかったら、さっきみたいな行動には出ないさ」

「……そうですか。それはどうも」

「話したくなければ、話さなくていい」

「まあ、別に隠すほどの過去でもないですけど……えっと、寿命の他に、健康と、時間が売れることは、既にいいましたよね？」

俺はうなずいた。

「つまり、私は時間を売ったんです。およそ、三十年ほど」

――そう、ずっと気になっていたのだ。

時間を売るということが、何を意味するのか。

「そうか。時間を売るっていうことは……」

「はい。監視員の大半は、あなたと同じようにあの店を訪れて、時間を売った人たちなんです。結果的には、安全や交友関係も売ってしまったような形になりましたけど」

「それまでは、あんたも普通の人間だったってことか？」

「はい。クスノキさんと同じ、普通の人間でした」

漠然と、俺は、ミヤギが生まれつき冷淡《れいたん》で、生まれつき皮肉屋で、生まれつき頑丈《がんじょう》にできているものだと思い込んでいた。しかし、今の話を聞くに――ミヤギのそういった特徴は、彼女が生き残るために、必死の思いで身に付けたものだったのかもしれない。

「あんただって、年は取るんだろう？　三十年も売ったら、あんたがこの仕事から解放されるのは、四十歳くらいになってからか？」

「そういうことになりますね。まあ、それまで生き延びられたら、の話ですけど」と彼女は自嘲《じちょう》めいた笑みを浮かべた。

それは彼女が今後数十年間、透明人間であり続けることをも意味する。

「……どうして、そこまでして、金を得ようと思ったんだ？」

「今日は、質問が多いですね」

「もちろん、嫌だったら答えなくていい」

「あんまり、面白い話じゃありませんよ？」

「それでも、俺が寿命を売った理由よりは面白いだろうさ」

ミヤギは時刻表を見上げた。「まあ、まだ始発列車まで時間がありますしね」というと、彼女はぽつぽつと話し始めた。

「未だに私は、母が、時間を何十年も売ることまでして寿命を買った理由がよくわかりません。私が覚えている母は、いつだって自分の生きる現実に不満を漏らしていました。父は私が生まれる直前に家を去ったそうです。ことあるごとに母は、いなくなった父に対する呪《のろ》いを吐いていましたが、心の底では、きっと彼に戻ってきてほしかったんだと思います。あるいは彼を待ち続けるためだけに、寿命を伸ばそうとしたのかもしれません。もちろん、そんなことしたって父の寿命が延びるわけではないし、母の姿は透明になって誰からも見えなくなってしまうし、何より、自分の身体に消えない傷をいくつも残していった男の帰りを待ち望むという心理が、私には理解できません。それでももし、母が父を待つために長生きをしようと思ったのだとしたら――多分、本当は、その相手は誰でもよかったんだと思います。ただ、他にすがるべき相手がいなかったというだけで。父以外に、自分を愛してくれそうな人を知らなかったんでしょう。……そんな惨《みじ》めな母が、私は嫌いでした。母も私のことが嫌いで、口癖《くちぐせ》のように『こんなの、生まなければよかった』と漏らしていました。母が時間を売り、監視員となって私の前から姿を消したとき、私はまだ六歳だったと記憶しています。以後数年は伯母の家にお世話になりましたが、そこでも私は邪魔者扱いを受けました」

そこまで話すと、ミヤギは考え込むように口を閉ざした。感極まったというわけではなさそうだ。おそらく彼女は、自分の話す言葉が、図らずも同情を誘うような調子になってしまっていることが気になったのだろう。

次の言葉は、より淡々《たんたん》と、まるで他人のことのように語られた。

「私が十歳のとき、母は死にました。死因は、よくわかっていません。ただ、監視対象者に殺されたというのは確かです。いくら寿命を延ばしても、外傷や病気で死ぬのは、また別問題なのだそうです。初めて聞いたときは、そんなの詐欺《さぎ》じゃないか、と思いましたね。……母の死を知らせにきた男の人は、もう一つ、重要なことを私に知らせました。『君には借金がある』、と彼はいいました。『母親が残した、莫大《ばくだい》な借金が。君が今すぐそれを返すには、三つしか方法がない。寿命を売るか、時間を売るか、健康を売るか。その三つだ』と。母はほとんど一生分の時間を売ることで寿命を引き延ばしていましたが、売った分の時間を働き終える前に、死んでしまいました。彼女と一番近しい立場にあった、娘の私が、その責任を被《こうむ》ることになったというわけです。そして、その場で借金を返せなかった場合、向こうが勝手に三つのうちのどれかを選んで、強制的に取り立てるとのことでした」

「それで、時間を選んだってわけか」と俺はいった。

「そういうことです。借金の額は、私の時間を三十年ちょっと売ることで返せるくらいのものでした。……そういうわけで、私はこうやって、監視員として生きています。

危険が多く、孤独な仕事ですが、その分、命の価値や人の生き方については深い知見が得られます。借金を返し終えたとき、私は、きっと誰よりも〝ちゃんと〟生きることができると思います。そう考えると、そんなに悪い仕事でもありませんよ」

彼女はそれを、救いのように話す。

けれども、どう考えても俺には、ミヤギの人生は悲劇そのものとしか思えなかった。

「わからないな」と俺はいった。「俺ならそんな人生、売り飛ばすだろうな。借金を返し終えるまで生きていられる保証なんてどこにもないんだろう？　現に、あんたの母親は亡くなっている。仮に最後まで生き残ったとして、あんたの人生の一番いい時期は、もう終わってしまっているんだ。これは別に皮肉でも何でもないんだが、あんたの言葉を借りれば、そこで〝ようやくスタート地点に立ったというだけ〟だ。散々苦労を味わって、四十歳からようやく始まる人生ってのは、俺にはどうも悲劇としか思えない。だったら、寿命を売った方がまだいい」

「私の寿命に、人並の価値があったら、そうしていたでしょうね」

「いくらだったんだ？」

「あなたと同じですよ」

ミヤギはおかしそうに、そういった。

「一年につき、一万円。……私があなたに必要以上に辛く当たってしまうのは、たぶん、その程度の価値しかない自分のことが許せなかったからなんだと思います。どこか、あなたに自分を重ねてしまっているんでしょうね。八つ当たりばっかりして、ごめんなさい」

「……こんなことをいうのも何だが、じゃあ尚更、さっさと死んじまった方がいいんじゃないのか？」と俺はいった。「いよいよもって、先に望みはないってことじゃないか」

「ええ、その通りです。まったくもってその通りなんです。それなのにそうせずにいるってことは、つまり私にも、母親と同じ血が流れているってことなんでしょうね。どうしようもない馬鹿なんです。生きていたって仕方がないのに、生き延びようとせずにはいられないんです。ひょっとすると、死に方まで一緒になるかもしれませんね。でも……ほら、やっぱり、簡単には割り切れませんよ。〝いつかいいことがあるかもしれない〟じゃないですか」

「そういい続けて、五十年間何一つ得られないまま死んでいく予定だった男のことを、俺は一人知ってるぜ」と俺は冗談をいった。

「……それ、私も知ってます」とミヤギは微笑んだ。

つられて笑いながら、俺は煙草に火を点けた。するとミヤギが立ち上がり、俺の手の中から煙草を一本引き抜いて、口に咥《くわ》えた。火を点けてやろうとミヤギの口元にライターをかざしたが、ちょうどオイルが切れてしまったらしく、何回フリントを擦っても着火しなかった。

ミヤギは俺が咥えた煙草を指差すと、顔を近付けてきた。俺は向こうの意図を汲《く》んで、同様に顔を近づけた。

震える二本の煙草の先端が触れあい、じわじわとミヤギの煙草に火が移っていった。

初めて俺の前で肩の力を抜いたミヤギを見て、俺は思った。

せめて、彼女にとって、一番、傍にいて気が楽だった監視対象者として記憶されよう、と。

線路の向こう側を見つめる。夜が明けようとしていた。

9．できすぎた話

それから数日間の俺は、大人しいものだった。食事をする以外の用では外に出ず、四畳半《よじょうはん》に引きこもり、文具店で購入した大量の折り紙をテーブルに重ね、ひたすら鶴《つる》を折り続けた。

机の上に並んだ折り鶴を見て、ミヤギはいった。

「もしかして、千羽鶴ですか？」

「ああ。見ての通りだ」

ミヤギは数十羽の中から青い一羽を拾い上げ、両翼を指でつまみ、興味深そうにそれを眺めた。

「一人で千羽折るつもりなんですか？　何のためにですか？」

「死にゆく俺の、幸福な余生のために」と俺はいった。

意味のない作業は楽しかった。部屋は色とりどりの鶴で埋め尽くされていった。桃色の鶴、赤色の鶴、橙色の鶴、黄色の鶴、黄緑色の鶴、緑色の鶴、水色の鶴、青色の鶴、紫色の鶴。

鶴はテーブルから溢れ、首を振る扇風機に飛ばされ、床に散らばり、味気ない畳部屋を彩った。

俺はそれを見て、ちょっとした満足感を覚える。

無意味で美しい行為ほど、純粋な祈りがあるだろうか？

鶴を折っている最中、何度もミヤギに話しかけたくなったが、俺はなるべく自分からはミヤギに話しかけないように努めた。あまり、彼女を心の拠《よ》り所《どころ》にしてはならないと思ったからだ。そういうやり方で安心を得るのは、どこか不当なやり方である気がした。

しかし一方で、ミヤギの方は徐々に俺に対する態度を軟化させてきていた。目があうと、ちゃんと視線を逸らしてくれるようになったのだ。物を見るような目つきでじっと見られるより、そちらの方がよほど温かい反応といえるだろう。

先日の駅での会話で心を開いてくれたのかもしれないが、あるいは単に、監視員というものは、監視対象者の寿命が近付くにつれて徐々に優しく接するように指示を与えられているだけなのかもしれない。

何といっても彼女は、あくまで仕事として俺の傍にいるというだけなのだ。そのことを忘れて浮かれていると、いつか手酷い裏切りを受けるだろう。

五日かけて、ようやく作業が終わった。鶴の数を改めて数え直していると、自分が作ったにしては上手くでき過ぎている鶴が何匹も見つかった。

俺が寝ている間に、どこかのお節介焼きが作ったのだろう。

糸を通してまとめあげ、千羽鶴が完成すると、俺はそれを天井からぶら下げた。

さて、手紙の話だ。

鶴を折り終えた夜、ジーンズを洗濯しようとポケットの中身を確認していると、折りたたまれた紙が出てきた。

「十年後の自分へ」と書かれた手紙だった。

タイムカプセルを掘り出した日に、ポケットに入れたままだったのだ。

ジーンズを裏返して洗濯機に放り込むと、一度は目を通した手紙を、改めて読み返した。

そこには、こうあった。

十年後の僕へ。

あなたにしか、頼めないことがあります。
もしまだ十年後の僕が売れ残っているようでしたら、ヒメノに会いにいってほしいんです。
ヒメノは僕がいないとだめみたいだし、
僕はヒメノがいないとだめみたいだから。

俺はあえて、その手紙をミヤギにも見せた。

「十年前のあなたは、意外と素直で優しい子だったんですね」手紙を読んだミヤギは、感心したようにいった。「それで、どうするつもりですか？」

「ヒメノに会いにいくよ」と俺はいった。「それがどんなに愚かしいことなのか、いかに無駄なことなのか、そろそろ俺も理解し始めてる。十年も会ってない幼馴染にここまで執着することの馬鹿らしさも、重々承知している。でもこれは、十年前の俺の頼みなんだ。十年後の俺は、それを尊重してやりたい。確かに、今より余計に傷付くことになるかもしれない。今より余計に失望することになるかもしれない。しかし、この目ではっきりと見定めるまでは、諦めるわけにはいかないんだ。……最後に一度だけでも、彼女と会って話がしたい。そして、俺に人生を与えてくれた恩返しに、俺の寿命を売って得た三十万を、彼女に渡したいと思うんだ。何万かは、もう手を付けてしまったけどな。多分ミヤギはこのことに反対するだろうが、俺の寿命を売って稼いだ金なんだ、使い道は俺の勝手だろう？」

「私は止めませんよ」とミヤギはいった。「その気持ちは、私にも、わからなくはないですから」

こうもあっさり肯定されるとは思わなかったので、拍子抜けしてしまった。

このとき俺は、ミヤギの口にした言葉の意味を突き詰めて考えたりはしなかった。

しかし、後に俺はその言葉を思い返して、そこでようやく本当の意味を理解する。

ミヤギは俺の気持ちが「わからなくはない」どころではなかった。

むしろ、彼女はその気持ちを知っていたのだ。

俺よりも、ずっと前に。

「明日の朝にでも、ヒメノの家にいってみようと思う。あいつ、今は実家にいるんだろう？」

「そうですね。夫と別れてからは、ずっと実家を頼っているみたいです」

そういった後、ミヤギは顔色を窺うように上目遣いで俺の目を見た。ヒメノについて俺の前で語ることに抵抗があるのだろう。また理不尽に腹を立てられるのではないかと心配しているのだ。

そこで俺は、柄にもなく「ありがとう」といった。

「どういたしまして」とミヤギは安堵したようにいった。


転居後のヒメノの住所を俺が知っていたわけを説明しようと思ったら、まず、十七歳の夏にヒメノから俺のもとへ届いた、一通の手紙について話さなければならない。

それを読んだ俺は、言い様のない違和感を覚えた。

どうにも彼女らしくない手紙だな、と俺は思った。

そこに書かれていたのは、他愛のないことだった。受験勉強が忙しくて本を読む暇さえないこと、この手紙も勉強の合間を縫って何回にもわけて書いていること、目指している大学のこと、冬休みに一度、こちらに遊びにくるかもしれないということ。いかにも十七歳の女の子が書きそうなことが、十七歳の女の子が書きそうな丸い字で、書かれていた。

しかし、だからこそおかしいのだ。それを書いたのが平凡な十七歳の女の子だったら、何も問題はない。しかし、今回手紙を書いて送ってきたのは、あのヒメノなのだ。

俺に負けず劣らず捻《ひね》くれているはずの、平凡とはほど遠い女の子だ。

それなのに、皮肉の一つも見当たらなければ、罵倒《ばとう》の文句もないとはどういうことだろう？　屈折《くっせつ》しきったヒメノはどこへいってしまったんだ？　十七歳にもなると、それなりに人も変わるということだろうか？　それとも単に、喋るのと書くのとでは勝手が違うというだけで、文面では普通の子と同じように振る舞う子だったのだろうか？

疑問に対する適切な答えを見つけられないまま、二週間後、俺は送られてきた手紙と似たような内容の手紙を返した。こちらも受験勉強が忙しく返信に手間取ってしまったこと、目指している大学のこと、ヒメノが遊びにくれば嬉しいということ。

俺は返事を待ち続けたが、翌週になっても、翌月になっても、ヒメノからの手紙は返ってこなかった。

冬休みにヒメノが遊びにくるということもなかった。

俺は何か間違いを犯してしまったのだろうか？　しかし、当時の俺としては、相当な無理をして、正直に「ヒメノと会いたい」という気持ちをそこに書いたつもりだった。

書き方がよくなかったのだろうか、とそのときは考えた。だが――おそらくその頃には、ヒメノはとっくに、俺の知らない誰かの子を腹に宿していたのだろう。十八歳で結婚し、翌年には離婚することになる相手の子を。

こうして振り返ってみても、あまりいい思い出とはいえない。しかしヒメノがくれた手紙は、俺に彼女の居場所を教えてくれた。今はそのことを喜ぼう。


大学には二度といかないつもりでいたのだが、ヒメノの住居の位置を正確に知るため、大学図書館のパソコンを借りる必要があった。原付にキーを差し、キックペダルに足をかけたところで、俺はかつてミヤギに聞いたことを思い出した。

「そういえば、俺はあんたから百メートル以上離れちゃいけないんだったな」

「そうなんです」とミヤギはいった。「申し訳ありませんが、一人で遠くまでいくのは、ちょっと。……でもこのバイク、二人乗れますよね？」

「まあ、一応」と俺はいった。通学の足として買った中古のカブ110はリアキャリアが外されており、代わりにタンデムシートが取り付けてあった。予備のヘルメットはなかったが、ミヤギの姿そのものは誰にも見えないのだから、誰に咎《とが》められることもないだろう。

「でしたらそれで移動することも可能ですよ。私を乗せるのが、どうしても嫌だというのでない限りは」

「まさか。気にしないよ」

エンジンを始動させ、サイドスタンドをかけて後ろを指差すと、ミヤギは「失礼します」といってタンデムに跨《また》がり、俺の腹部に両手を添えた。

いつもの道を、いつもよりゆっくり走った。気持ちのいい、懐かしげな朝だった。長い直線を走っていると、青空に浮かぶ巨大な入道雲に気付いた。

物の輪郭《りんかく》はいつも以上にはっきりと見えるのに、どこかうつろでもあった。

ほんの数日ぶりに訪れた大学からは、異様によそよそしい空気が感じられた。歩いている大学生たちは、皆自分とはまったく違う世界に属する、幸せな生き物に見えた。稀《まれ》にすれ違う、うつむいて歩く不幸せそうな人でさえ、不幸せを満喫しているように見えた。

地図をプリントアウトして鞄に入れ、図書館を出た。売店はまだ開いていなかったので、自販機で餡《あん》パンとドリップコーヒーを買い、ラウンジで朝食をとった。ミヤギもドーナツを買って、もそもそ齧《かじ》っていた。

「なあ、これは特に意味のない質問なんだが、あんたが俺と同じような状況になったら、余命数か月をどう過ごす？」と俺はミヤギに訊いた。

「んー……そのときになってみないとわかりませんね」と答えた後、ミヤギはきょろきょろと辺りを見回した。「あの、以前にもいいましたけど、あまりこういう場所で私に話しかけない方がいいですよ。一人で喋っている変な人と思われますから」

「いいんだよ。実際、変なやつなんだから」

事実、ラウンジにいる人々は、一人虚空《こくう》に向かって話しかける俺を、不審そうに眺めていた。しかし俺は気にならなかった。それどころか、積極的に怪しまれたいとさえ思っていた。余命の残り少ない俺は、人々にまったく記憶されないよりは、不審者として記憶された方がまだいいと考えていたのかもしれない。

食事を終えて腰を上げると、ミヤギが「あの」と俺の隣を歩きながらいった。

「ずっと、考えてたんです。さっきの質問の答え。それで……けっこう真面目な答えになっちゃうんですけど、もし私が余命数か月という状況におかれたら、三つほど、絶対にやっておきたいことがあります」

「へえ。ぜひ聞きたいね」

「参考にはならないと思いますけどね」とミヤギはいった。「……一つ目は、ある湖にいくこと。二つ目は、自分のお墓を建てること。そして三つ目は、あなたと同じように、かつて大切だった人に会いにいくこと。そんなところです」

「それだけじゃ、よくわからないな。もう少し詳しく教えてくれないか？」

「湖は、ただの湖です。ただ、子供の頃にそこで見た星空が、おそろしく綺麗だったことを覚えているんですよ。私の乏しい人生経験の中では、もっとも美しい景色でした。世の中にはもっと美しい景色が数えきれないくらいあるんでしょうけど、私が本当に『知っている』美しい景色は、あの星の湖くらいのものなんです」

「なるほど。……お墓ってのは、きちんと墓地を購入したい、ってことか？」

「いえ。極端な話、適当に大きな石でも見つけて、『これを自分の墓にしよう』と決めつけるだけでもいいんです。大切なのは、私が自分の墓と決めたものが、私の死後、少なくとも数十年は残ってくれるということなんです。……そして、〝大切だった人〟のことですけど」そこまでいうと、ミヤギは目線を下にやった。「これは、ちょっとクスノキさんにはいえませんね」

「そうか。それはやっぱり、男なのか？」

「まあ、そんなところです」

深くは追求してほしくなさそうだった。

俺は考える。ミヤギにとって大切な人。彼女が監視員になったのは、確か十歳のときの話だ。〝かつて〟大切だった人というくらいだから、おそらくミヤギがいっているのは、監視員になる以前に親しくしていた人物のことなのだろう。

「傷付くかもしれなくても、失望するかもしれなくても、結局は私も、その人に会いにいってしまうと思います。だからクスノキさんが今からしようとしていることを否定する権利は、私にはないんでしょうね」

「あんたらしくないな。自分のこととなると、妙に弱気じゃないか」と俺は笑った。

「自分の未来については、何も知りませんから」とミヤギはいった。


ヒメノの家は、拍子抜けするくらいあっさりと見つかった。

初めは、そこがヒメノの家だとは、どうしても信じられなかった。同姓の別人の住む家ではないかと疑ったが、いくら周辺を探しても他に「姫野《ひめの》」の姓《せい》は見当たらず、どうやらそこにヒメノが住んでいると見て間違いないようだった。

転居する以前にヒメノが住んでいたのは立派な和風住宅であり、俺は子供心に、「姫野」という姓にぴったりの家だと思ったものだった。しかし、地図と表札を頼りに見つけたそこは、目を離せば五秒とたたずにその姿を忘れてしまいそうなほど無個性で貧相な住宅だった。

呼び鈴を押すことを俺がためらわなかったのは、そこに彼女がいないと薄々勘付いていたからだろう。三分の間隔を開けて三回呼び鈴を鳴らしたが、誰も出てくる様子はなかった。

夜になれば誰かしら帰ってくるだろうと考えた俺は、それまではこの周辺で時間を潰すことにした。大学でプリントしてきた地図を取りだし、どこか夜まで過ごせそうなところを探した。市立図書館の文字が目に入った。ちょうど、今朝大学図書館を利用したときから、俺の中で沸々と読書欲が湧《わ》いてきていたところだった。

外観は小奇麗な図書館だったが、一歩館内に入ると、ひどく古い建物だということがわかった。黴臭く、廃校舎のような汚れ方をしている。しかし、本の揃えは悪くなかった。

自分が死ぬ前にどんな本を読みたくなるのだろう、と昔から考えていた。それはいい換えれば、「死ぬ直前まで役に立つ本とはどういうものだろう」ということだ。

俺はそういう本だけを選んで読みたいと思っていた。死を前にした途端に価値を失うような本を読んで、「一体、何が楽しくてこんなものを読んできたのだろう?」と後悔したくはなかった。

あと一か月待てばまた話は変わってくるのかもしれないが——そのとき俺が選んだのは、ポール・オースターと宮沢賢治《みやざわけんじ》、オー・ヘンリー、ヘミングウェイだった。いかにも面白味のない選択だ。手に取ったのがすべて短編だったのを見る限り、俺はそれらの作家が気に入っていたというよりは、単に長い話が読みたくなかったのかもしれない。一定以上の長さを持った物語と付きあうだけの気力が自分に残されているかどうか、不安だったのだろう。

オー・ヘンリーの『賢者《けんじゃ》の贈《おく》り物《もの》』を読んでいると、それまで正面に座って俺を監視していたミヤギが隣に移動してきて、開いているページを覗きこんできた。

「監視と読書を一度に行おうってわけか？」と俺は小声で訊いた。

「そんなところです」というと、ミヤギはさらに身体を寄せてきた。

落ち着く匂いのする女の子だな、と俺は思った。

閉館の十八時まで、じっくり本を読んだ。ときどき目を休めに外に出て、喫煙所で煙草を吸った。

誰かと一緒に一冊の本を読むというのは初めての経験だった。そうすることで、「自分がどう感じたのか」だけではなく、「同じ個所を読んでいるであろうミヤギはどう感じたのか」にまで気が回り、読書はより濃密になるようだった。

再びヒメノの家に向かったが、やはり呼び鈴を鳴らしても誰も出てこなかった。近隣の住民に怪しまれるのを承知で、一時間ほどヒメノの家の前で誰かが帰ってくるのを待ち続けた。日が沈み、電柱の防犯灯に明かりがついた。足元に煙草の吸殻《すいがら》が溜まっていった。ミヤギが咎めるような目付きでそれを見ていたので、俺は鞄から携帯灰皿を出して吸殻を拾って入れた。

どうやら今日のところは出直した方がよさそうだな、と俺は思った。

ヒメノが現れなかったことに安心している自分がいたことは、否定できない。

帰り道、どこかで曲がる箇所を間違えたらしく、いつの間にか提灯が並ぶ商店街を走っていた。そこが俺の実家のすぐ傍だということに気付くまでは、だいぶ時間がかかった。そんな経路でここにくるのは初めてだったからだ。

どうやら、先にある神社で夏祭りをやっているらしかった。ちょうど空腹を感じていた俺は、駐輪場にカブを停め、好みの屋台を探して焦げたソースの匂いが漂う会場を歩いて回った。

その祭りを見るのは十年ぶりだった。ヒメノがいなくなってからは、近所の祭りに出向くようなことはなくなっていたのだ。あいかわらず小規模な祭りで、屋台の数は十から十五というところだった。しかし、それなりに活気はあった。娯楽の少ない地域の行事ほど盛り上がるものだ。

お好み焼きとフランクフルトを買ったところまでは予定通りだったのだが、その後俺は、何をとち狂ったのか、すべての屋台で一点ずつ買い物することを決め、たこ焼き、かき氷、焼きとうもろこし、薄焼き、唐揚げ、りんご飴《あめ》、チョコバナナ、焼き鳥、いか焼き、トロピカルジュースを買って石段に持っていった。

「こんなに買ってどうするんですか？」とミヤギが呆れ顔でいった。

「少年の夢を叶えたってわけさ。俺一人じゃ食えそうにないから、あんたも手伝ってくれ」というなり、俺はそれらを処理し始めた。ミヤギは遠慮がちに俺の袋に手を伸ばすと、「いただきます」といって薄焼きを食べ始めた。

十二品目に手を付ける頃には、俺もミヤギも、心底食べ物の匂いにうんざりしていた。そもそも二人とも、胃袋はかなり小さい方なのだ。腹の中でバレーボールでも膨《ふく》らませられたかのようだった。あまりの満腹感に、しばらく立ち上がる気になれずにいた。ミヤギは十二品目のりんご飴を、つんとした顔で舐《な》めていた。

石段の上からは夏祭りの会場が見下ろせた。狭い参道に屋台がぎっしりと並び、二列の提灯が滑走路灯のようにまっすぐ続き、薄暗い境内を赤く照らしている。行き交う人々は皆上機嫌な様子で……ようするに、十年前のあの日と、何一つ変わっていなかった。

あの日も俺は——俺とヒメノは——こうやって石段に座り、会場を歩く人々を眺めていた。自分たちがそこに混じる権利はないのだ、と諦めていた。自分たちの存在を肯定してくれる、すべてを納得させてくれる、そんな「何か」を待っていた。

そして、ヒメノは予言した。「とってもいいこと」が起きて、「生きててよかった」と心の底から思える日が、十年後の夏にくるのだと。さらに彼女は、いった。十年後もお互いに結婚するような相手が見つかっていなかったとしたら、そのときは、売れ残り同士、一緒になろうと。

今、俺はその十年後の夏にいる。約束を口にした当の本人は売れ残りではなく中古品になり、俺は売れ残りどころか非売品として一生を終えようとしている。

しかし結局のところ、互いに所有者がいないという状況ではある。

俺たちは再び一人ぼっちになった。

ヒメノは今、どこで、何をしているのだろう?

ひぐらしの声が降りそそぐ神社で、今俺は再び、神に祈っていた。

気付けば結構な時間が過ぎていた。隣でミヤギがノートに鉛筆を走らせる音が聞こえた。祭りも終わりに近付き、人影はまばらになってきた。俺は顔を上げ、ごみをまとめると、おもむろに立ち上がった。

石段を上ってくる人影があった。

暗くて顔は見えなかったが、その人物の輪郭を見た瞬間に、俺の時間は停止した。

できすぎた話だと、人はいうだろう。

しかし——物事は、本人も気付かないところで、こういった天邪鬼《あまのじゃく》な形で、繋がっているものなのだ。

体中の細胞が、喜びに打ち震えるのを感じた。

彼女が一歩足を踏み出すたびに、初めて出会った四歳のあの日から、彼女が転校して俺の前から姿を消す十歳の夏の日までの思い出が、一つずつ頭をよぎっていくようだった。

その姿は十年前とは様変わりしていたが——たとえどんなに容姿が変わろうと、俺が彼女を見分けられないはずがない。

互いの顔が見える距離まできたところで、俺はかすれた声で呼びかけた。

「ヒメノ」

女は立ち止まり、うつろな目で俺を見た。

その顔は、徐々に、呆気《あっけ》にとられたような表情に変化していった。

「……クスノキ？」

あの日と変わらない透き通った声で、ヒメノは俺の名前を呼んだ。

10. 私の、たった一人の幼馴染へ

再会した俺とヒメノがどんな言葉を交わしたのかは、ほとんど覚えていない。それどころか、ヒメノがどんな格好をしていたのかさえ思い出せないのだ。それだけ俺は興奮しきっていて、考えなしに喋っていたということだろう。

会話の中身など、何でもよかったのだ。俺が何かいって、彼女が何か返してくれれば、それですべて事足りた。

彼女は祭りを見にきていたわけではなかったらしい。仕事の関係でここにきて、たまたま神社に車を停めていたから、ここを通りかかることになったのだそうだ。何の仕事をしているのかと訊ねても、はぐらかされた。人を相手にする仕事だよ、とだけヒメノは教えてくれた。

「もうちょっと話してたいんだけど、明日は早いんだ」と彼女が控え目に帰りたがる素振りを見せたので、俺は、近いうちにどこかで酒でも飲まないかと誘った。

アルコールは駄目だけど、食事なら、とヒメノは承諾してくれた。

二日後の夜に会う約束をして、俺たちは別れた。

あまりの幸福感に、俺はしばらくミヤギの存在を忘れていたほどだった。

「よかったじゃないですか」とミヤギはいった。「本当に」「こうなるとは、私も予想してませんでした」

「俺だってそうさ。できすぎた話だと思うよ、本当に」

「ええ。……こんなことって、あるんですね」

次にヒメノと会えるのは、二日後だ。そちらが本番だと考えるべきだろう。

それまでに、色々な準備を済ませなければ、と俺は思った。

アパートに戻った俺は、「死ぬ前にやりたいことリスト」のヒメノの項に打ち消し線を引き、寝支度を整えたところで、ミヤギにいった。

「あんたに、ちょっと変わった頼みがあるんだ」

「お酒は飲めませんよ」

「そうじゃない。明日のことさ。ヒメノと会う上で、念には念を入れていきたい。幸い、彼女と会うのは二日後で、明日は丸一日、明後日の準備に使える。それに付きあってほしいんだ」

「準備、というと？」

「今更あんたに隠し事をしても無駄だろうから正直にいうが、俺はこの二十年間、一度もまともに女性と交際したことがない。だからこのままヒメノと会っても、彼女を退屈させたり、的外れなことをしたりしてしまうかもしれない。その可能性を少しでも減らすために、明日は、街に出て予行演習したいんだ」

ミヤギはきょとんした顔で数秒間固まった。

「私の勘違いでなければ……それは、私に、ヒメノさんの役をやってほしいということですよね？」

「そういうことだ。ミヤギ、頼めるか？」

「その、私は構わないんですけど、実際にそうするとなると、いくつか致命的な問題が」

「ああ。あんたが俺以外の人間には見えない、ってことだろう？」

「そういうことです」とミヤギは首肯した。

「構わないさ。周りにどう思われようと、知ったことじゃない。肝心なことは、『ヒメノによく思われること』の一点に尽きる。それ以外の全員が俺のことを軽蔑しようと、ヒメノ一人が俺のことをほんの少しでも好きになってくれれば、俺はそれで満足なんだ」

ミヤギは呆れたようにいった。「ヒメノさんのこととなると、途端に人が変わったようになりますね、あなたは。……ただ、もう一つ、問題があるんです。知っての通り、私には、同世代の女性が考えていることが、よくわかりません。ですから、代役としての機能は、あまり期待できないと思います。ヒメノさんにとって愉快《ゆかい》なことが私にとっては不愉快だったり、ヒメノさんにとって退屈なことが私にとっては刺激的だったり、ヒメノさんにとって無礼にあたることが私にとっての礼儀にあたったり、といったことも多々考えられます。そういうわけですので、私を二十歳前後の女性のサンプルとして見ることは……」

「自分のこととなると、途端に卑屈《ひくつ》になるよな、あんたは」と俺は遮《さえぎ》るようにいった。「問題はないさ。俺が見る限り、あんたもそこら辺にいる女の子と大して変わらない。普通よりちょっと可愛い、って点を除けば」

「……まあ、あなたが構わないのなら、それでいいんですけど」

ミヤギはおずおずとそういった。

翌朝、美容室に予約を入れると、俺は街に出て服と靴を買いにいった。いつものくたびれきったブルージーンズと黒ずんだスニーカーで会いにいくわけにはいかない。

趣味のよさそうなセレクトショップを見つけると、フレッドペリーのポロシャツとチノパンツとそれにあわせたベルトを、靴屋ではチョコレート色のデザートブーツを、ミヤギの助言に基づいて購入した。

「あなたは別に、凝った服装をする必要はないんですよ。清潔感さえあれば、それで十分だと思います」

「それは、『素材がよい』といわれていると思っていいのかな?」と俺は訊いた。

「どう受け取るかは、あなたの自由です」

「わかった。自由に受け取らせてもらうよ。どうやら俺は褒められているらしい」

「いちいちいわなくていいです」

買い物を終えると、予約の時間よりいくらか早めに美容室へいった。ミヤギの助言通り、素直に「明日、大切な人と会うんです」と説明すると、美容師の女はにんまりと微笑み、熱心に髪を切り、いくつかの実用的なアドバイスをしてくれた。

新しい服に身を包み、髪を整えた俺の姿は、誇張抜きに、別人のようだった。重苦しい髪とよれよれのシャツは、思っていた以上に俺の雰囲気を陰気くさいものにしていたらしい。それらがなくなった今、俺はポップソングのミュージック・ビデオから抜け出してきたような、爽《さわ》やかな印象の若者になっていた。

「なんだか、昨日までのあなたとは別人みたいですね」とミヤギもいってくれた。

「ああ。とても、一年につき一万円程度の価値しかない人間には見えないだろう？」

「そうですね。まるで、幸せな未来が約束されている人みたいです」

「ありがとう。ミヤギも笑っていれば、図書館の妖精《ようせい》みたいに見える」

「……今日のクスノキさんは、よほど上機嫌らしいですね」

「そうらしい」

「なんですか、その〝図書館の妖精〟って」

「知的で楚々《そそ》とした女性のことだ」

「ヒメノさんに、同じことをいうんですね？」

「あいつのよさは、それとはまた別物だ。俺はミヤギのことをいってるんだよ」

表情を硬くしつつ、ミヤギは「それはどうも」と小さく頭を下げた。

「まあ、私にせよあなたにせよ、人間としての価値はゼロに近いんですけどね」

「不思議な話だ」と俺はいった。

そのとき俺たちがいたのは通りの路地にあるイタリアンレストランで、当然この会話も、周りには独り言と思われていた。隣のテーブルの中年夫婦はちらちらと俺のことを盗み見ては、何か囁《ささや》きあっていた。

食事を終えると、俺たちは大通りを抜け、橋の脇にある階段を下りて川原を散歩した。アルコールが入って舞い上がっていた俺は、その間ずっと、ミヤギの手を握って前後に勢いよく振りながら歩いていた。ミヤギは困ったような顔で、俺に手を引かれるままになっていた。傍目《はため》には、奇妙な歩き方をする俺の姿しか映っていなかっただろうが、そんなことはどうでもよかった。どうせまともな人間の仲間入りはできない。それならいっそ、思い切って自分から奇人になった方が、気分はずっと楽だ。

「ほら、私をヒメノさんだと思って口説いてみてくださいよ、酔っ払いのクスノキさん」俺と手を繋ぐことに慣れてきたらしいミヤギが、すまし顔でいった。

俺は立ち止まり、ミヤギの目を正面から見据えながらいった。「俺の人生における最良の出来事とは、あんたが俺の目の前に現れたことだった。そして最悪の出来事とは、あんたが俺の目の前から消えたことだったんだ。……そして今から、あんたの返事次第で、最良か最悪のどちらかが入れ替わることになると思う」

「よくもまあ、そんな回りくどい口説き文句がすらすらとでてきますね。感心しますよ」

「それで、ヒメノはどう答えると思う？」

「そうですねえ、ヒメノさんだったら」ミヤギは口元に手を当てて考え込んだ。「……

『突然何をいいだすんだよ』などといって、笑ってごまかそうとするかもしれません」

「そうか。じゃあミヤギだったら？」

「……よく意味がわかりません」

「冗談だよ。気にしないでくれ」と俺は一人で笑った。

「クスノキさん、本当はそういう人なんですか？　冗談とか口にするような」

「自分でもわからない。俺は性格とか気質とか本性とかいう言葉を、あんまり信用していないんだ。そんなもの、状況によってどうとでも変わる。長い目で見れば、人によって異なるのは、『どういう状況に陥りやすいか』だけだと思うね。一貫性ってものを皆過剰信仰してるが、あれは多くの人が考えているより、もっと表面的なものなんじゃないか」

「よりによってあなたが、そんなことをいうとは思いませんでしたね」

「誰だって、悲しい一般論の前で、自分だけは例外だと思ってるんだよ」

ミヤギは小さく溜め息をついた後、「それもそうですね」と同意した。

歩くのに疲れると、俺たちは適当なバスに乗り込んだ。車内には数人の乗客がいたが、俺は構わずヒメノに関する思い出をミヤギに語って聞かせた。バスを乗り継いで到着した展望台は町でも有数のデートスポットで、十組近い男女が肩を抱きあったりここそこキスしあったりしていたが、そこでも俺は構わずミヤギと会話を続けた。不思議と視線は感じなかった。皆、自分たちのことで忙しいのだろう。

「この場所を初めて訪れたときも、ヒメノは隣にいたんだ。あの螺旋《らせん》階段、頂上付近の踊り場の手摺《てすり》が、いかにも子供が上りたくなるような高さと太さでさ。当時のヒメノもその上に上ろうとしたんだが、よく見たら手摺の先に絶妙な隙間が開いていて、危うくヒメノはそこから地上まで一直線に落ちるところだったんだ。たまたま傍にいた俺が引きとめなかったら、本当にそうなっていたかもしれないな。知的な風を装っておいて、案外抜けたところがあるんだ、あいつには。何ていうか、放っておけない奴なんだよ。慌ててヒメノを引っ張った俺は転んで擦り傷を負ったんだが、その日一日だけは、あいつ、異様に優しくなって――」

不安を振り払おうとして、より饒舌《じょうぜつ》になっていく俺を見て、ミヤギは複雑そうな顔をしていた。

彼女はこのとき、俺よりたくさんのことを知っていた。

まだ俺に、肝心なことをいっていなかった。

展望台は、それを説明するのに格好の場所だったのだが、ミヤギがそれを口にすることはなかった。

限界まで、夢を見せてやろうと思ったのかもしれない。

待ちあわせの日がきた。雨の午後で、駅は傘を持った人で一杯だった。二階の窓から広場を見下ろすと、様々な色の傘が、思い思いの方向に動いていた。

書店前で十七時の待ちあわせだったが、その時刻を十分過ぎても、ヒメノは姿を現さなかった。

焦ることはないさ、と俺は自分にいい聞かせた。雨で街は混雑しているし、彼女は俺と違って忙しいのだ。

そうとわかっていつつも、俺は一分につき三回は腕時計で時間を確認していた。一時間にも二時間にも感じられる二十分が過ぎた。俺かヒメノのどちらかが、待ちあわせ場所を勘違いしているのだろうか？　しかし彼女は「書店前」といったし、この駅に書店は一つで、間違い様がない。

二十七分が過ぎて、俺が書店前を離れてヒメノを探しにいこうとしたそのとき、ちょうど彼女がこちらに向けて小さく手を振りながら歩いてくるのが見えた。ひょっとすると先日のヒメノの約束は社交辞令的なごまかしで、あの場を去る口実に過ぎなかったのではないかと考え始めていた俺は、全身の力が抜けるくらい安心した。

その日のヒメノは、俺が十年間待ち望んでいた存在であるということを抜きにしても、ありあまる美しさを放っていた。身体を構成する曲線の一本一本が、厳密な計算と緻密《ちみつ》な配慮のもとに造られたようだった。過剰なところは一切なく、すべての要素が自身の役割を弁《わきま》えていた。

仮に俺が何の関係もない立場の人間だったとしても、一目彼女を見れば、奇妙な胸の苦しさを覚えたことだろう。その存在は、埋めがたい穴を俺に残していったに違いない。『俺はあの人を、自分のものにはできないだろう。……となると、俺の人生は、まるで空虚そのものじゃないか?』、そんな風に考えても不思議はない。

そして幸いにも、少なくともこの駅にいる人間の中では、俺は彼女ともっとも近しい存在だった。

俺はそのことに、深い喜びを感じる。

「雨でバスが遅れちゃって」とヒメノは弁解した。「待たせてごめんね。何か奢《おご》らせてよ」

「貸しにしておくよ。今回誘ったのは俺だから、今日はそのことを忘れてくれ」

俺は容姿だけでなく、自分の声までもが変化していることに気付いた。半オクターブほど上がった俺の声は、どうやらその音域が本来の持ち味であったらしく、自分でも驚くくらいに心地よい響き方をした。

「ふうん。ということは、『次回』を予定してるってわけだね？」彼女は取り澄ました顔つきでいいつつ、俺の格好をじろじろと見た。

「ああ。そして次回もまた、その次の回を予定すると思う」

「正直でよろしい」と彼女はくすくす笑った。

いかにもヒメノのいいそうなことだな、と俺は心中で呟いた。ヒメノはあの頃と、何も変わってはいない。十歳の彼女もこんな風に、皮肉屋ではあるものの、どこか温かみのある喋り方をしていたものだった。

地下道を抜け、通りに出るところで傘を開くと、ヒメノはすっと俺の手から傘を奪い取り、二人の間に掲げた。

「傘を忘れるのはいつだってクスノキの方で、こうやって、しぶしぶ私の傘に入っていたものだったよね」

「そうだったな」といい、俺はヒメノから傘を奪い返し、ヒメノ寄りの位置に掲げて歩き出した。「だからこそ、今日からは逆でもいいだろう？」

「なるほど」

一つの傘に入って、二人で歩き出す。
ところで、一昨日はあんなところで何をしていたの、とヒメノが訊く。
ヒメノを探していたんだよ、と俺は答える。
うそつき、とヒメノは俺に肩をぶつけてくる。
本当だよ、と俺は笑いながらいう。
上手くやっているつもりだった。
俺の好意はヒメノに伝わり、ヒメノも俺に好意を示してくれている。
そう信じて疑わなかった。
このときヒメノが腹の底で考えていたことを、俺は知りたいとは思わない。

さて、答えあわせといこう。
レストランに着き、ヒメノの向かいに座った俺は、会話を続けるうちに、とんでもない間違いを犯す。厳密にいえば、それは間違いではないのかもしれない。あの場面を何度でも繰り返せる権利が与えられたとしても、俺は毎度同じ選択をしてしまうだろう。他に選択肢はなかった。その上で、俺の選択を〝間違い〟と呼ぼうとするのであれば、それはその場で生じたのではなく、もっと以前から段階的に形成されていたということになる。

俺は時間をかけて、堅実に間違いを犯したのだ。

しかし、何はともあれ、その〝間違い〟こそが、結果としては俺の身を救うことになる。

そして同時に、俺は知ることになるのだ。

なぜミヤギが、俺がヒメノに会いにいくのを止めようとしていたのかを。

注文を終えると、俺はヒメノに向けて、好意を示す笑みを浮かべた。彼女も同じものを返してくれた。ヒメノはグラスの氷水を一口飲むと、「これまでの十年間で、クスノキがやってきたことについて知りたいな」といった。「ヒメノの話を先に聞きたい」と俺はいったが、「まずはクスノキから」と彼女は譲らなかった。

そこで俺は、「何の面白味もない話だけど」と前置きした上で、中高時代のことを話した。本当に面白味のない話だ。中学二年生になって、徐々に学力にかげりが見え始めたこと。十歳当時は完璧《かんぺき》だった記憶力は、歳を重ねるごとに急速に失われていったこと。高校こそ地元で一番の進学校に通っていたものの、途中から勉強についていけなくなり、現在通っている大学は呆れるほど平凡なところだということ。有名大学でなければ通う意味がないとごねる両親を説き伏せ入学金を払ってもらい、授業料や生活費は自身で賄《まかな》っていたということ。十七歳の冬以降、一度も絵筆を握っていないこと。

話は五分と持たずに終わってしまった。俺の人生に、語るべきところなどほとんどないのだ。

「そっか、絵は諦めたんだ。……残念だな。私、クスノキの描く絵、好きだったのに」

ヒメノはそういってくれた。どこかの男とは大違いだ、と俺は思った。

「いっつも、描いてたよね。何でもないような顔で、息を呑むくらい綺麗なものを描くから、かなわなかったな。ずっと、うらやましいって思ってた」

「当時は一度もそんなことといってくれなかったじゃないか」

「あのときの私、クスノキへの対抗意識がすごかったからね。勉強以外に能のない私は、君の勉強以外の才能を認めるわけにはいかなかったんだよ。でも……クスノキは気付いてなかったかもしれないけど、私、よく勝手にクスノキの絵を家に持ち帰って、ぼうっと眺めてたんだよ」

遠い目をしながら、ヒメノはいう。

「対抗意識が強かったのは、俺も同じさ。学力は同じくらいでも、大人が褒め称えるのは、当時から華《はな》があるヒメノの方ばかりだった。勉強ができるくせに美人ってのは、いくらなんでも卑怯《ひきょう》だと思ってたよ」

「そんな子が、まさか高校を中退するとは、誰も予想しなかっただろうね」とヒメノはさり気なくいった。

「中退？」と俺はわざとらしく驚いてみせた。

「そっか、やっぱり知らないんだ」ヒメノは眉を下げて笑った。「同窓会か何かで、噂《うわさ》になっているものだと思ったけど」

「小学校の同窓会には、一度も顔を出してないんだ。どうせヒメノは出ないだろうと思って」

「そっか。……あのね、私のこれも、あんまり面白い話とはいえないんだけど……」

そういって、ヒメノは、高校中退までの流れを説明してくれた。しかし、あらかじめミヤギから聞いていた出産の話は、説明から省かれていた。彼女が話したのは、「卒業した先輩と結婚して、勢い余って退学したが、行き違いが生じて、離婚することになった」程度の内容だった。

「結局は、私が子供だったんだと思う」とヒメノはぎこちない笑みを浮かべた。「色んなことをありのままに受け入れて前に進むっていうことが、どうしても私にはできなかったんだ。ちょっとの不完全さにも耐えきれずに、物事を根本から駄目にしちゃうっていうのかな。私の頭の中は、どうやら、十歳の夏に転校してクスノキと離れ離れになった頃から、何にも変わっていなかったみたいなの。……十年前の私は、確かに、頭のいい子供だったと思う。でもそのせいで、心のどこかに、『もうこれ以上成長する必要はないんだ』っていう驕《おご》りが、生まれちゃったんだろうね。おかげで未だに私は、十歳の夢見る少女とあんまり変われないでいるよ。皆はどんどん変わっていくっていうのに」

テーブルに載せた手を、傷付いた少女のような目で見つめながら、ヒメノはそういった。

「それで、クスノキはどう？　やっぱり君も、この十年で変わっちゃった？」

この辺りから、俺は冷静さを失い始めていた。

「変われなかったのは、ヒメノだけじゃない」と俺はいった。「俺も、ヒメノと離れ離れになったあの日から、変われずにいたんだ。何年も、生甲斐《いきがい》なく、孤独で無為な日々を過ごしてきた。世界は俺を失望させるために存在しているかのようだった。半分、死んでいるようなものだったんだ。それで俺は、つい数日前——」

俺は自分が何をいおうとしているのか、わかっていた。それがヒメノの耳にどう響くかも予想できていた。自分がやろうとしていることがどれほど愚かしいことか、理解できているつもりだった。

しかし、止められなかった。

「——寿命を買い取ってもらったんだ。一年につき、たった一万円で」

そう俺はいった。

ヒメノの顔に困惑の色が浮かんだが、もう言葉の奔流をせき止めるのは不可能だった。俺の中に溜まっていたぐちゃぐちゃが、一気に噴出した。

俺は次から次へと話した。寿命を買い取ってもらえる店のこと。一年辺り数百万程度かと思いきや、最低買取額の一万円だったこと。未来に絶望して、三か月だけ残して寿命を売り払ってしまったこと。それ以来、常に透明の監視員に付きまとわれていること。

同情を引くような調子で、べらべらと喋った。

「ヒメノには見えないだろうけど、今だって、すぐそこに監視員はいるんだ」といって、俺はミヤギを指差した。「ここにいるんだよ。ミヤギっていう女の子で、突き放したような喋り方をするけど、話してみると案外いい子でさ……」

「ねえ、クスノキ。気を悪くしないでほしいんだけどさ——今自分が喋っていることが、どれくらい非現実的に聞こえるか、自分でわかってる？」とヒメノは申し訳なさそうにいった。

「ああ、どんなに馬鹿げた話か、わかっているつもりだよ」

「そう、馬鹿げた話なの。……でもね、クスノキ。その上で私は、君の話を、どうしても嘘だとは思えないんだ。君の寿命が残り少ないことも、そこに監視員の女の子がいるっていうことも。長い付きあいだからね、クスノキが嘘をついたり私を騙《だま》そうとしていたりすれば、すぐにわかるよ。確かに信じがたい話ではあるけど、君が寿命を売ったってことが嘘ではないって、私は信じられる」

そのとき、俺がどれほど嬉しかったかを他人にわかるように説明するのは、難しい。

「……後出しになって悪いんだけど、実をいうと、私にも、隠してたことがあるの」

というと、ヒメノは小さく咳《せ》き込んで、ハンカチを口元にあて、すっと立ち上がった。

「ちょっと失礼。この話の続きは、食事が終わったらにしようか」とヒメノはいい、歩いていった。

向かった先が化粧室だったので、俺は油断していた。注文していた料理が届き、俺は早くヒメノが戻ってこないものかと待ちわびた。続きを話したくて仕方がなかった。

ヒメノは、二度と戻ってこなかった。

あまりに帰りが遅いので、俺はヒメノが貧血でも起こして倒れたのではないかと心配になり、ミヤギに頼んだ。

「悪いけど、女子トイレの様子を見てきてくれないか。ヒメノに何かあったのかもしれない」

ミヤギは無言でうなずいた。

数分して戻ってきたミヤギは、ヒメノが消えたことを俺に告げた。

俺は立ち歩いて店内を探し回ったが、ヒメノの姿はどこにもなかった。

諦めて席に戻り、冷めた料理の前に腰を下ろした。全身から力が抜けていくような感じがした。同時に、下腹部に重く不快な何かを感じた。喉がからからに渇き、微かに痛んだ。グラスを摑もうとしたが、目の焦点が上手くあわず、水をテーブルに零してしまった。

冷めたパスタを、ゆっくり食べた。

しばらくすると、ミヤギが正面に座った。

そしてヒメノの分のパスタをぱくぱく食べ始めた。

「冷めてもおいしいですね」とミヤギはいった。

俺は何もいわなかった。

最後まで味の分からないままに料理を食べきると、俺はミヤギに訊いた。

「なあミヤギ、率直に答えてくれ。ヒメノは、なぜ消えたと思う？」

ミヤギはこういった。

「おそらく、頭がおかしくなったと思われたんでしょうね」

確かにある意味ではそうだった。

だが真実はもう少し複雑だったし、ミヤギもそのことはよく知っていた。

隠していたのだ。俺のために。

レジで精算を終えて店を出た俺は、背後から呼びかけられた。振り向くと、ウェイターが、俺に何かを差し出していた。

「お連れ様から、あなたにお渡しするよう頼まれまして」

手帳を破り取って書いたらしい、手紙だった。

時間をかけて、それを読んだ。

そうして俺は、ミヤギがずっと嘘をついていたのだということを知った。

「あんたはこれを知っていて、ずっと、俺から隠していたのか？」

俺の質問に、ミヤギはうつむいて答えた。

「そうです。すみません」

「謝ることはないさ。いい夢を見させてもらったよ」

謝るのはむしろ、俺の方だった。だが自分の非を認められるほどの元気が残っていなかった。

「そして本来の俺の人生では、ヒメノの目的は、達成されることになっていた。そういうことだろう？」

「その通りです」とミヤギはいった。「クスノキさんの目の前で、ヒメノさんはそれを実行することになっていました」

俺にそれを見せつけるために。

積年の恨みを晴らすために。

もう一度、手紙に目を通す。

そこにはこう書かれていた。

私の、たった一人の幼馴染へ。

本当は、あなたの前で、死んでやるつもりでした。

あの展望台で、あなたを下に待たせて、すぐ傍に落っこちてやるつもりでした。

あなたは身に覚えがないと言うかもしれませんが、私は、ずっとあなたのことを、恨んでいました。

私の助けの求めに応じなかったくせに、今更のうのうと現れたあなたのことが、憎くてたまりませんでした。

だから、私があなたにとって欠かせない存在となったところで、死んでやろうと思っていたのです。

でも、この十年の間に、あなたは私よりもずっと、おかしくなってしまったみたいですね。

今のあなたに対して復讐《ふくしゅう》しても、しかたなさそうです。

だから私は、黙ってあなたの前から消えます。

さようなら。

さっきの話、あなたの余命が短いことだけは、本当であることを願います。

馬鹿だなあ、俺は。

こんな思いをしないために、これまで一人で生きてきたのに。

最後まで、自分のやり方を信じてあげればよかった。

駅前の橋までくると、俺はヒメノの手紙を丁寧に折りたたんで紙飛行機にし、ビルの光を反射して煌《きら》めいている川に向かって飛ばした。飛行機は長い間漂っていたが、ついには水面に落ち、流されていった。

ヒメノに渡すはずだった金の入った封筒《ふうとう》を取り出し、一枚ずつ、道ゆく人に配った。

反応は人によって様々だった。胡散臭そうにこちらの顔を見る奴もいれば、卑屈な笑みを浮かべて礼をいい、小走りで去る奴もいた。はっきりと拒否して突き返してくる奴もいれば、もっとよこせという奴もいた。

「やめましょうよ、こんなこと」見かねたミヤギが俺の袖を摑んで、いった。

「別に人に迷惑はかけてないだろ」と俺はミヤギの手を振り払った。

封筒の金はあっという間になくなった。俺は財布の金にまで手を出した。千円札まで残らず配った。

配る金が一枚もなくなると、俺は往来の真ん中で立ち尽くした。

周囲を歩く人々が、邪魔くさそうに俺のことを眺めていた。

タクシー代どころか電車賃程度も残っていなかったので、歩いて帰るしかなかった。

雨が降り出した。ミヤギが鞄から青い折り畳み傘を取りだして、開いた。俺は傘をレストランに忘れてきたことに気付いたが、もう体が濡れようが風邪《かぜ》を引こうが、どうでもよかった。

「濡れますよ」とミヤギがいい、傘を高めに掲げた。中に入れ、という意味なのだろう。

「見ての通り、濡れたい気分なんだ」と俺はいった。

「そうですか」

そういうと、彼女は傘を閉じ、鞄にしまった。

びしょ濡れの俺の後ろを、びしょ濡れのミヤギが歩いていた。

「あんたが濡れる必要はないよ」

「見ての通り、濡れたい気分なんです」とミヤギはいった。

勝手にするがいいさ、と俺は背を向けた。

雨を凌《しの》げそうなバス停を見つけて、そこで雨宿りすることにした。真上に傾いた街灯があって、時々思い出したように点滅していた。

座った途端、すぐに眠気が襲ってきた。身体よりも、精神の方が強く眠りを欲していた。

眠っていたのは数分だけだったと思う。濡れた体が冷えて、すぐに目を覚ました。

隣でミヤギが眠っていた。膝を抱えて精一杯縮こまり、体を温めていた。

俺みたいな馬鹿の勝手な行動に振り回される彼女を不憫《ふびん》に思った。

ミヤギを起こさないようにそっと立ち上がり、辺りをうろつくと、寂れた公民館が見つかった。あまり清潔とはいえないが、電気が通っているし、玄関も和室も鍵がかかっていない。

俺はベンチに戻り、まだ寝ているミヤギを抱え上げ、公民館へ運んだ。

俺以上に眠りの浅い彼女が、目を覚まさなかったわけがないのだ。

しかし、ミヤギは最後まで眠っているふりをしてくれた。

畳くさい部屋だった。和室の隅には、座布団の山があった。虫が付いていないことを確認すると、それを重ねて床に敷き、ミヤギを寝かせた。少し離れたところに同様のものを作って、俺の寝床にした。窓際に、何十年も前から置いてあるような蚊取《かと》り線香《せんこう》があったので、ライターで火を点けた。

雨の音が子守唄になった。

俺はいつものように、眠りにつく前の習慣を始めた。

瞼《まぶた》の裏に、いちばんいい景色を映す。

俺が本来住みたかった世界について、一から考える。

ありもしない思い出を、いったこともない「どこか」を、過去か未来かも知れない「いつか」を、自由に思い描く。

五歳くらいから、欠かさず続けている習慣だった。

ひょっとしたら、この少女的な習慣が原因で、俺はこの世界に馴染めなくなったのかもしれない。

しかし、こうすることでしか、俺が世界に折りあいを付けられなかったのも確かだ。

真夜中に目を覚ました俺が感じたそれは、落胆しているときにありがちな、願望に基づく夢だったのかもしれない。

仮に夢だったとしたら、何とも恥ずかしい夢を見たものだ。

現実だったとしたら――はっきりいってしまおう、俺にとって、こんなに嬉しいことはない。

畳の上を誰かが歩いてくる音がした。枕元にしゃがみこんだそいつがミヤギだとわかったのは、匂いのおかげだ。こんな季節でも、ミヤギからは冬の朝のような透き通った匂いがする。

俺はあえて目を開けずにいた。よくわからないが、そうした方がいいと思ったのだ。

彼女は俺の頭にそっと手を触れ、優しく撫《な》でた。

そうしていたのは一分に満たなかったと思う。

ミヤギは何か呟いたようだったが、雨音で聞き取れなかった。

まどろみの中で、俺は思う。

ミヤギの存在に、俺は一体どれだけ救われているのだろう？

ミヤギがいなかったら、今頃俺は、どれだけ追い込まれていたのだろう？

でも、だからこそ、俺はこれ以上彼女を困らせてはいけない――そう自分にいい聞かせる。彼女がここにいるのは、あくまでそれが仕事だからだ。彼女が俺に優しいのは、俺がこれから死ぬ人間だからだ。決して俺という一人の人間に、好意を向けているわけではない。

これ以上、見当違いな期待をしてはならない。そうした期待は、俺のみならず、彼女までも不幸にしてしまうだろう。いらぬ罪悪感を彼女に覚えさせ、俺の死を、後味の悪いものにするだろう。

このまま大人しく死のう。元通り、他人に何の期待もしない、自己完結的で、ささやかな生活に戻ろう。猫のように人知れず、ひっそりと息絶えよう。

そう、密かに決意をした。

翌朝、うだるような暑さで目を覚ました。窓の外では、小学生がラジオ体操をしていた。ミヤギは既に起きて、口笛でニーナ・シモンの「アイ・ウィッシュ・アイ・ニユー」を吹きながら座布団を片付けていた。

まだ眠気は残っていたが、あまり長くここにいるわけにもいかない。

帰りましょう、とミヤギがいった。

ああ、と俺は答えた。

11．自販機巡りのすすめ

公民館から四時間歩き続け、ようやくアパートに着いた。自室の匂いが懐かしかった。

体中汗まみれで、足は肉刺《まめ》だらけだった。シャワーを浴びようとして脱衣所の扉を開けたところで、ふと、先にミヤギに使わせた方がいいだろうか、と考えた。しかしあまり気を遣いすぎると、ミヤギが意図して作り上げてきた距離感を、こちらから破壊することになってしまうかもしれない。

湯を浴び続けていたいのを我慢して、手早く体を洗い、着替えを済ませて居間に戻った。これまでの経験からいって、ミヤギが自由に入浴や食事ができるのは、俺が寝ている間のみのようだった。だから俺は布団に横たわり、さっさと寝てしまうことにした。

目を閉じて寝たふりをしていると、ミヤギがこそこそとシャワーを浴びにいく音が聞こえた。身体を起こそうとすると、再び彼女が戻ってくる足音がしたので、慌てて目を閉じた。

「クスノキさん」とミヤギはいった。

俺は気付かないふりをした。

「クスノキさん、寝てるんですか？」とミヤギは俺の枕元まできて、小声でいった。「こんなことを訊くのは、もちろん、あなたが狸寝入《たぬきねい》りしているように見えるからです。そして、もしあなたがそんなことをするのが、私を気遣ってのことだったらいいのにな、と思います。……おやすみなさい。シャワー、借りますね」

脱衣所のドアが閉まる音がすると、俺は起き上がり、ミヤギがいない部屋の隅を眺めた。今日も彼女はあそこで眠るのだろうか。あの少しも休まりそうにない体勢で、数分起きて監視に当たっては数分寝ることを繰り返すのだろうか。

試しにその位置に座り、ミヤギの姿勢を真似して寝ようとしてみた。しかしいくら待っても、眠りはやってこなかった。戻ってきたミヤギが俺の肩を叩き、「何でこんなところにいるんですか。布団で寝た方がいいですよ」と諭《さと》すようにいった。

「それはこっちの台詞だよ。あんたこそ布団で寝た方がいい。こんなところで寝るなんて、やっぱりおかしい」

「おかしくて結構ですよ。私は慣れてるからいいんです」

俺は布団に横たわると、左端に寄った。「これから俺は布団の左端で寝る。もう何があっても右側には侵入しないし、見もしない。そこは俺を近くで監視するのにうってつけの場所だろうな。使うのも使わないのもミヤギの勝手だが、とにかく俺は左端で寝る」

それが妥協点だった。おそらくミヤギは、俺が床で寝て彼女が布団で寝るというような条件は、絶対に呑《の》まないだろう。隣で寝てもいいと俺がいっても、素直にそうですかと受け入れるとは思えない。

「寝ぼけてるんですか、クスノキさん」とミヤギが俺の意志を確認するように訊く。

無視して瞼を閉じた。二十分ほどした頃、ミヤギが隣に入ってくるのがわかった。ほどなくして、背後で小さな小さな寝息が聞こえた。彼女も疲れていたのだろう。

互いに背を向ける形で、俺たちは一つの布団を共有した。この提案が俺の自己満足に過ぎないということは、自分でも承知していた。結果的に、俺はまたミヤギのことを困らせてしまっている。彼女も本当ならこんなことはしたくなかったはずだ。誰かに優しくされてそれに甘えてしまうことは、長年かけて培った監視員としての強靭《きょうじん》さを損なう原因になりかねない。しかも、その優しさは死を前にした者の気まぐれのような、不安定なものだ。そういう類の優しさは、人を救うどころか傷付けさえする。

だが、それでもミヤギは俺の半端な優しさを、更なる優しさをもって受け入れてくれた。彼女は俺の厚意を尊重してくれたのだろう。単に死ぬほど疲れていただけかもしれないが。

部屋に差し込む赤い夕日で目を覚ました。とっくにミヤギは起きているものだと思っていたが、彼女もちょうど目を覚ましたところらしく、布団から体を起こし、強い西日に目を細めていた。視線があった瞬間、俺たちはどちらともなく目を逸らした。ぐっすり寝ていたせいか髪も服も乱れていて、寝起きの彼女はおそろしく無防備そうに見えた。

「今日は、ちょっと疲れていたので」とミヤギは弁解するようにいった。「明日からは、また元の場所で寝ます」

それから、「でも、ありがとうございました」と付け加えた。

夕暮れの中を、ミヤギとぼとぼ歩いた。じいじいと蟬が鳴いていた。

布団の件の反動か、今日のミヤギは、いつもより少しだけ遠かった。

コンビニで僅かばかりの預金を引き出そうとすると、アルバイトの今月分の給料が振り込まれていた。

これが最後の軍資金になるのだろう、と俺は思った。

大切に使わなければならない。

赤茶けた歩道橋の上から夕日を眺めた後、牛丼屋で定食を食べた。食券制だったので、ミヤギも自分の券を買い、「お願いします」と俺に渡した。

「いよいよ、することがなくなった」味噌汁《みそしる》を飲み終え、俺はいった。「『死ぬ前にやりたいことリスト』に書いたことは、すべてやってしまった。俺はこれから何をすればいいんだろう？」

「好きなことをすればいいんです。あなたにも趣味くらいあるでしょう？」

「ああ。音楽鑑賞と、読書がそれだった。……しかし、今考えると、この二つは俺にとって、『生きていくため』の手段だったんだ。どうしようもない人生と折りあいを付けるために、音楽と本を用いていたんだよ。無理に生きていく必要がなくなった今、その二つは俺にとって、以前ほど重要ではなくなってきてる」

「鑑賞方法を変えればいいじゃないですか。今度は純粋にその美しさを楽しめばいいんですよ」

「でも、どうしても引っかかっちまうんだよな。何を見聞きしても、『ああ、これは俺とは関係のない話なんだ』って疎外感を覚えるんだ。……思うに、世の中の大抵のものは、『今後も生き続ける人』向きに作られているんだよ。当然といえば、当然だが。これから死ぬ人のためには作られていない」

隣で牛丼をかきこんでいる五十歳くらいの男が、一人で死について語る俺を見て眉を顰めていた。

「もっと素朴《そぼく》に好きなことはないんですか？　その、たとえば、廃墟を見るのが好きだとか、線路の枕木を数えて歩くのが好きだとか、十年も昔に見捨てられたようなゲーム筐体で遊ぶのが好きだとか」

「やけに具体的だな。ひょっとして、今までの監視対象者に、そういう人がいたのか？」

「はい。他にも、走行中の軽トラックの荷台に寝そべって、空を見上げることに最後の一か月を費やした人なんかもいました。寿命を売って得た金を、見ず知らずの老人にそっくりそのまま渡して、『人に見咎《とが》《み》められないところで軽トラックを走らせ続けてほしい』と頼んだんです」

「のどかな話だな。でも案外、そういうのが一番賢いやり方なのかもしれない」

「結構、面白いものなんですよ。景色が後ろに飛んでいく、あの感じが新鮮で」

俺はその様子を想像してみた。青空の下、狭く曲がりくねった田舎道を、心地よい風と振動を感じながら、どこまでもゆくイメージ。思い出も後悔も、すべて頭に浮かんだその場から、道路に落ちて置き去りにされていく。何もかもが進めば進むほど離れていくという感覚は、死にゆく人間によく似あう。

「そういう話、もっと聞かせてくれないか。職業倫理とか守秘義務とか、そういうものに引っかからないのであれば」と俺はいった。

「アパートに戻ったら、いくらでも話しますよ」とミヤギはいった。「ただ、ここでいつまでも話してると、怪しまれますので」

帰り道は大きく遠回りをして、小さなひまわり畑、小学校の旧校舎、傾斜した土地に建てられた墓地の前を通った。中学校で何かの行事があるらしく、制汗剤と虫除けスプレーの匂いを漂わせる、健康的に日焼けした子供たちとすれ違った。

みずみずしく、夏を凝縮したような空気の夜だった。アパートに着くと、俺はミヤギをカブに乗せ、再び出かけた。この日は互いに薄着だったせいか、彼女の身体の柔らかさがはっきりと感じられて、どうにも落ち着かない俺は、一度赤信号を無視しそうになった。慌ててブレーキを握ると余計に密着する形になり、俺は自分の胸の高鳴りがミヤギに伝わっていないことを願った。

坂を上り、町で一番見晴らしのよい丘で停車すると、自販機で缶コーヒーを二本買い、ささやかな夜景を堪能した。真下には住宅街が広がり、素朴な橙の光をぽつぽつと放っていて、幾分向こうには市街地の明かりが小さく見えた。

帰宅後、歯を磨いて布団に寝転び、ミヤギの話を聞いた。子供に絵本を読み聞かせるようなリズムで、彼女は過去の監視対象者に関するエピソードのうち、害のない部分を話してくれた。これといった特徴のない平凡な話でも、そこら辺の立派な文学作品などより、確実に俺を慰めてくれた。

翌日は、手元にまだ残っていた折り紙でまた鶴を折りながら、自分がするべきことについて考えていた。ミヤギもテーブルの正面に座り、同じように鶴を折ってくれた。

ずっとこうしているのも、それはそれでいいかもしれませんね、とミヤギはいった。折り鶴に埋もれて死ぬのも悪くないな、と俺もいい、鶴を両手で掬《すく》ってばら撒《ま》いてみせた。ミヤギも両手一杯に鶴を掬い、俺の頭の上からばら撒いた。

折り紙に疲れて外の空気を吸いにいき、煙草屋でショートホープを買ってその場で火を点け、自販機の缶コーヒーを飲んだところで、俺はあることに気が付いた。

あまりにも近過ぎて、逆に見えなかったこと。

声が漏れていたらしく、ミヤギは「どうしたんですか?」と俺の顔を覗きこんだ。

「いや、実にくだらないことなんだけどさ。思い出したんだよ。俺にも心の底から『好きだ』といえるものがあることに」

「いってみてください」

「自動販売機が大好きなんだよ」頭をかきながら俺はいった。

「はあ」ミヤギは拍子抜けした様子でいった。「自販機の、どういった部分が好きなんですか？」

「なんだろうな。俺にもよくわからない。ただ、子供の頃、俺は自動販売機になりたかったんだ」

ぽかんとした顔でミヤギは首を傾げた。

「あの、確認ですけど、自動販売機って、コーヒーやコーラなんかを売っている、今あなたも利用した、あれですよね？」

「ああ。それ以外も、煙草、傘、お守り、焼きおにぎり、うどん、氷、アイスクリーム、ハンバーガー、おでん、フライドポテト、コンビーフサンド、カップヌードル、ビール、焼酎《しょうちゅう》……自販機は、色んなものを提供してくれる。日本は自販機大国なんだ。治安がいいからな」

「あなたはそんな自販機が大好きである、と」

「そういうことだ。使うのも好きだし、ただ見るのも好きだ。何でもない自販機でも、目に入るとつい詳しく観察しちまうんだよな」

「んーと……個性的な趣味ですね」

なんとかミヤギはフォローを入れてくれたが、実際、くだらない趣味だ。生産性の欠片もない。くだらない人生の象徴だと、自分でも思う。

「でも、なんとなく分かる気はします」とミヤギは俺を励ますようにいった。

「自販機になりたい気持ちが？」と俺は笑って返した。

「いえ、さすがにそこまでは理解不能ですけどね。ほら――自販機って、いつでもそこにいてくれますから。お金さえ払えば、いつでも温かいものをくれますしね。割り切った関係とか、不変性とか、永遠性とか、なんかそういうものを感じさせてくれるんです」

俺はちょっと感動さえしてしまった。「すごいじゃないか。俺のいいたいことを、端的に表してるよ」

「どうも」と彼女は嬉しくもなさそうに頭を下げた。「私たち監視員にとっても、自販機は非常に重要な存在ですから。店員と違って、私たちを無視しませんからね。……それで、自販機が好きだということがわかったのはいいんですが、具体的にはどうするんですか？」

「そこで、もう一つの『好きなこと』の話になるんだ。こうやって煙草屋にくるたび、いつも俺は、ポール・オースターの『スモーク』のエピソードを思い出す。葉巻屋の男が、毎朝欠かさず店の前の交差点に立ち、まったく同じ場所を写真に撮り続けるという話が、俺はお気に入りなんだ。そういう、安直な『意味』に真っ向から喧嘩《けんか》を売るような行為が、とても痛快に感じられた。そこで、だ。俺もオーギー・レンに倣《なら》って、一見無意味な写真を撮ることにしようと思う。どこにでもある自販機を、誰にでもできるやり方で、愚直に撮影し続けるんだ」

「うまくいえませんけど」とミヤギはいった。「そういうの、私も好きですよ」

こうして俺の自販機巡りの日々が始まった。


リサイクルショップで錆《さ》びかけた銀塩カメラとストラップ、それにフィルムを十本購入した。それだけで、準備は万端だった。デジタルカメラの方が安上がりで済む上、写真の管理が楽であることもわかっていたが、より「写真を撮っている」という実感を得ることが優先された結果の選択だった。カメラにフィルムをセットして巻き上げ、カブに跨ると、俺は目に入った自動販売機を片っ端から撮影して回った。

写真を撮る際、俺はなるべく自販機の周辺にあるものもファインダーに収めるようにした。俺の関心は、別にドリンクの品揃えやレイアウトといった、細かな違いにはない。ただ、その自販機が、どんな場所に、どういった様子で佇《たたず》んでいるかを確認し、記録したかった。

いざ探し始めると、町には予想していたより遙《はる》かに多くの自販機があった。アパートの周辺だけでも数十枚の写真が撮れた。何度も通った道なのに、ずっと見落としていた自販機がいくつもあり、そうした些《さ》細《さい》な発見が俺の心を躍らせた。また、同じ自販機でも、昼と夜とではまったく違う顔を見せた。ぴかぴかと光って存在を主張しているせいで虫まみれになる自販機があれば、節電でボタンの明かりのみが暗闇《くらやみ》に浮かぶ自販機もあった。

こんなくだらない趣味一つをとっても、俺よりももっと本格的に根気強くやっている人がたくさんいて、その人たちにはどう足掻《あが》いても敵わないということは、よく知っていた。しかし、俺は一向に構わなかった。誰が何といおうと、これが俺に向いたやり方なのだ。

一日の始まりに向かう場所は写真屋で、フィルムの現像が終わるまでの三十分で朝食をとるのが常だった。一日の終わりには、朝に受け取った写真をテーブルに並べてミヤギと眺め、一枚一枚アルバムに丁寧にしまった。どの写真も中心付近に自販機が写っているという点は共通しているが、その共通点が、かえってそれ以外の差異を際立たせていた。同一人物が、同じ姿勢、同じ表情で写真の真ん中に写っているようなものだ。自販機は物差しのような役割を果たしていた。

写真屋の店主は、毎朝自販機だけの写ったフィルムの現像にやってくる俺に興味を持ったらしかった。白髪《しらが》が多く、不健康に痩せていて、やたら腰の低い四十くらいの店主は、誰もいない空間に向かって陽気に話しかける俺に訊いた。

「つまり、そこに誰かいるんですね？」

俺はミヤギと顔を見あわせた。

「そうですよ。ミヤギっていう女の子です。俺の監視が仕事なんです」と俺はいった。無意味とわかった上で、ミヤギも「どうも」と頭を下げた。

信じてもらおうとは思っていなかったが、店主は「なるほど」とあっさりミヤギの存在を受け入れた。そういう変わった人も、ときにはいるらしい。

「というわけは、これらの奇妙な写真は、実はその子を撮ったものだったりするんでしょうか？」と彼は訊いてくる。

「いいえ、そういうわけではないんです。これはただの自販機の写真です。俺はミヤギと協力して自販機を探して、写真を撮って回ってるんですよ」

「そうすることで、彼女に何かいいことがあるということでしょうか？」

「いいえ、これは単に、俺の趣味です。ミヤギは俺に付きあってくれているだけですよ。

仕事でね」

店主はわけがわからないといった表情で、「まあ、引き続きがんばってください」といった。

写真屋を出て、タンデムに跨ろうとカブの横に立ったミヤギを、俺はカメラで撮った。

「何をしてるんですか？」とミヤギが首を傾げた。

「いや、さっきの店主の話を聞いて、一枚くらい撮っておこうと思ってさ」

「他人には、ただの無意味なバイクの写真に見えるでしょうけどね」

「そもそも他人から見たら、俺の撮ってる写真なんて全部無意味だろうよ」と俺はいった。

もちろん、写真屋の店主のような人は——そうでなければ困るが——少数派だった。

ある朝、ごみ置き場にいこうとアパートを出ようとして、ミヤギが靴を履くのを待ってドアをおさえていると、隣部屋の住人が階段を下りてきた。やたら背が高く、威圧的な目をしている男だ。ミヤギが「お待たせしました」と出てきたところでドアを閉め、「じゃあ、いこうか」と声をかけると、男は気味悪そうに俺のことを見ていた。

風の少ない、からっと晴れた日だった。見たことも聞いたこともない土地に迷い込んだ俺は、二時間ほどさまよい続け、やっとのことで知っている場所に出たが、そこはまたしても俺とヒメノが幼少時代を過ごした故郷だった。道に迷うと本能的にその方角へ向かってしまうのかもしれない。帰巣《きそう》本能とでもいうか。

とはいえ、そこも自販機のある場所だということには変わりがない。とことことカブで田舎道を走り、写真を撮った。

レトロなアイスクリーム自販機が置いてあったのは、俺が少年時代によく利用した駄菓子屋だった。特に好きだったのは、麦チョコ、きなこ棒、サイコロキャラメル、オレンジガム、ボンタンアメ――思えば、小さい頃は甘いものばかり食べていたものだ。

駄菓子屋はずいぶん前に店仕舞いしてしまったようだったが、俺が初めてここを訪れたときからある、故障した赤錆びだらけの自販機は、そのままだった。向かいにある公衆便所のような外観の電話ボックスも同じくらい昔からあるものだが、こちらはまだ辛うじて現役のようだった。

雑草だらけの公園にある木漏れ日の注ぐベンチで、俺とミヤギは朝作ってきたお握りを食べた。園内にひと気はなかったが、黒猫と雉猫《きじ》がいた。猫たちは遠目にこちらの様子を窺っていたが、害意がないことを悟ったのか、徐々に近付いてきた。餌でもあればよかったのだが、あいにく猫が好みそうなものは持ち歩いていなかった。

「そういえば、猫はミヤギのことが見えるのか？」

そう俺が訊くと、ミヤギは立ち上がり、猫に向かって歩いていった。

黒猫は逃げ出し、雉猫は一定距離を保とうとして数歩後退した。

「この通り、犬や猫には見えるんですよ」とミヤギは振り向いていった。「だからといって、好かれるわけでもありませんけどね」

食後に一服していると、ミヤギがノートに鉛筆でさらさらと絵を描いていた。視線の先には猫がいた。猫はいつの間にか滑り台の上に移動しており、ミヤギはその画が気に入ったらしかった。

彼女にそんな趣味があったことは、意外だった。ひょっとしたら、これまでもミヤギは観察記録を書いているような顔をしながら自分の趣味に没頭していたのかもしれない。

「そんな趣味があったんだな」と俺はいった。

「ええ。意外でしょう？」

「ああ。とはいえ、そんなに上手くはないな」

「だから練習してるんです。偉いでしょう」とミヤギはなぜか得意気にいった。

「ミヤギがこれまで描いたもの、見せてくれないか?」

「……さあ、そろそろ次にいきましょうか」

ミヤギはわざとらしく話題を逸らし、ノートを閉じて鞄に入れた。


半日かけて故郷を探索し終え、次の街へ向かおうとして、再び例の駄菓子屋の前を通ったときのことだ。

店の前の雪印のベンチに、誰かが座っているのが見えた。

俺はその人物を、よく知っていた。

カブを道脇に停め、エンジンを止めると、俺はベンチの老女に歩み寄って、声をかけた。

「こんにちは」

反応は鈍かった。しかし一応声は届いたらしく、老女は目だけを動かしてこちらを見た。歳は既に九十を超えているのだろう。顔にも膝の上で組まれた手にも、何千という皺が刻まれていた。真っ白な髪は力なく垂れ下がり、落胆した少女のような表情を一層悲壮なものにしていた。

俺はベンチの前にしゃがみ込み、もう一度「こんにちは」と挨拶した。

「俺のことは、多分もう覚えていないでしょうね？」

無言は、肯定のサインと受け取ってよさそうだった。

「無理もない話です。もう十年くらい前のことですからね、俺が最後にここを訪れたのは」

やはり返事はなかった。老女の視線は数メートル先の地面に固定されたままだった。

俺は一方的に続けた。

「しかし俺の方はというと、あなたのことをよく覚えているんです。若いから記憶力がいい、というわけではないんですよ。確かに俺はまだ二十歳ですが、昔のことは、ずいぶん色々と忘れてしまいました。どんなに幸せなことも、どんなに辛いことも、思い出す機会がなければ、そのうち忘れてしまうものです。そのことに人が気付かないのは、忘れたことさえ忘れてしまうからなんだと思います。もし本当に、誰もが過去の最良の思い出を正確に保持しているとしたら、人々はもっと悲しそうな顔をして空虚な今を生きていることでしょうし、誰もが過去の最悪の思い出を正確に保持しているとしても、やはり人々はもっと悲しそうな顔をして空虚な今を生きていることでしょう。皆、覚えているということにしておかないと都合が悪いから、覚えているということにしているだけなんです」

反論も同意もなかった。老女は案山子《かかし》のようにじっと動かなかった。

「そんな不確かな記憶の中で、あなたという存在が色褪せないのは、俺がかつてあなたにお世話になったからです。それはとても珍しいことだったんです。というのも、十年前の俺は、人に感謝するということを、滅多にしなかった。大人に優しくされても、それは彼らが『そうしなければいけない立場にあるからそうしている』だけであって、純粋な善意からの行動というわけじゃないんだ、と思い込んでいたんですね。……ええ、可愛げのない子供だったと思います。そんな子だったから、家出なんてする気にもなったんでしょう。八歳の頃か、九歳の頃か、正確な時期は忘れましたが、俺は夜中に母親と喧嘩して、家を飛び出したんです。何が原因で喧嘩したのかは、忘れてしまいました。きっとくだらないことだったんでしょう」

俺は老女の隣に腰かけ、椅子にもたれ、遙か彼方に立つ鉄塔と、青空の入道雲を眺めた。

「後先考えずに飛び出してきた俺は、駄菓子屋で時間を潰していました。明らかにそれくらいの子供の出歩く時間ではなかったので、あなたは俺に訊きました、『お家に帰らなくていいのかい？』と。親と激しい口論を終えたばかりの俺は、涙声で何かを答えました。そしてそれを聞いたあなたは、レジの裏のドアを開けて、俺に手招きして、中に入れて茶や菓子を出してくれたんです。数時間後、俺の親から電話がかかってきて、『そっちにいっていないか』と訊かれたあなたは、『いるけど、あと一時間はいないことにしておくよ』といって電話を切りました。……それは、あなたにとっては、何でもないことだったのかもしれません。でも、俺が未だに他人に対して芯から何かを期待できるのは、あの経験があったからなんだと――少なくとも俺は、勝手にそう思い込んでます」

もう少し俺の無駄話に付きあってもらえますか、と俺は問う。

老女は目を閉じて、いよいよ死んだように固まる。

「俺のことを忘れてしまったというわけは、ヒメノのことも、やっぱり忘れてしまっているんでしょうね。あの子もよく、俺と一緒にこの店にきていたものだったんですが。……ヒメノは、名前の通り、まるでおとぎ話のお姫様みたいな子でした。こういってはなんですが、この町には相応しくないほどに、特異な美しさを持った少女でした。俺もヒメノも、小学校では爪弾《つまはじ》きにされていました。俺が嫌われていた理由は、単に鼻につく奴だったからでしょうが、ヒメノが嫌われていたのは、あまりに異質な存在だったからなんだと思います。……彼女には申し訳ないのですが、俺はそのことに感謝を覚えずにはいられません。属すべき集団から追いやられたヒメノと俺は、結果的に、二人ぼっちになれたのですから。隣にヒメノがいるというだけで、俺は、どんなに周りの子供たちから苛《いじ》められようと平気でした。何はともあれ、彼らは俺とヒメノを同列に扱ってくれている、と思えたからです」

ヒメノという言葉が出る度、老女は、ほんの少しだけ反応しているようにも見えた。嬉しくなって、俺は続けた。

「小学四年の夏、親の転勤を理由にヒメノは転校しましたが、それが引き金となって、俺の中の彼女は、いよいよ神格化されてしまいました。『二十歳まで互いによい相手が見つからなかったら一緒になろう』という彼女の言葉を支えにして、俺は十年間生きてきました。しかし、つい先日知ったんですが、どうやらヒメノは、俺のことを好きでいたどころか、ある時期を過ぎてからは、殺したいほど憎んでいたらしいんです。俺の前で自殺してやろうとさえ企んでいたそうなんです。何がいけなかったんだろう、とずっと考えていました。……それで、あるとき、ふと思い出したんです。ヒメノと会う直前、俺は小学校のときにクラス全員の手紙を入れて埋めたタイムカプセルを、一人で掘り返していました。本当はそんなことやっちゃいけないんですけど、ちょっとした事情で、俺はもうすぐ死ぬことになっていて、それくらいは許されるだろうと思ったんです」

さあ。

答えあわせといいこう。

「さて、そのタイムカプセルですが、奇妙なことに、ヒメノの手紙が入っていませんでした。たまたまその日にヒメノがいなかったのだと解釈していましたが、よく考えたら、そんなはずはないんです。あの手紙は、担任の教師が時間をかけて生徒たちに準備をさせてきたものでした。あの人は、たまたまその日誰かが学校を休んだからといって、その生徒の手紙を入れずにタイムカプセルを埋めてしまうような人ではないんです。考えられるのは、俺よりも先に誰かがタイムカプセルを掘り出して、ヒメノの手紙を抜き取っていったということでした。そしてそんなことをするのは――ヒメノ本人を除いては、他に考えられないんです」

先を考えて話していたわけではなかった。

しかしこのとき、俺の中ですべてが繋がる。

「十七歳のとき、ヒメノから俺のもとへ、一通の手紙が届きました。その手紙に書いてあったこと自体は、さして重要ではありませんでした。きっと、宛名に俺の名前があって、差出人にヒメノの名前があれば、それで十分だったんです。彼女はそもそも、いくら親しい相手であろうと、その人に向けて手紙を書いたり電話をしたりするようなことは絶対にしない人間でした。そんな彼女が、丁寧に差出人の住所まで書いた手紙を送ってきた時点で、俺は気付くべきだったんです」

そう。

俺はもっと早くに気付くべきだったのだ。

「あの手紙は、ヒメノなりのSOSでした。彼女はあのとき、確かに、俺に助けを求めていたんです。彼女も俺と同じように、追い詰められて、過去にすがりついて、タイムカプセルを掘り出して、たった一人の幼馴染のことを思い出して、手紙を出したんです。彼女の意図に気付かなかった俺には、もう資格は残されていませんでした。報いとして、俺はヒメノを失いました。彼女は空っぽになってしまいましたし、それを知った俺も空っぽになってしまいました。ヒメノはもうすぐ自殺しますし、俺ももうすぐ寿命がきます。……そんなところで、切りは悪いですが、この暗い話はお終いです。長い話に付きあわせて、申し訳ありませんでした」

立ち去ろうとした俺に、老女は、消え入りそうな声で、「さようなら」といった。

その別れの言葉が、彼女が俺にくれた、唯一の言葉だった。

「ありがとうございます、さようなら」といって俺は駄菓子屋を後にした。

かつての恩人に忘れられてしまっていたことは、それほど俺を傷付けなかった。

自分の思い出に裏切られることに、そろそろ慣れ始めていたのだろう。

しかし、このとき俺は、一つの可能性を完全に見落としていた。

様々な種類の失望を経験する中、常に隣にいて、密かに支えになってくれていた女の子。

俺と同じ絶望を抱え、それでも寿命ではなく時間を売ることを選んだ、先のない女の子。

愛想はあまりよくないが、とてもいじらしい気遣いをしてくれる、優しい優しい女の子。

ミヤギが、俺を裏切るという可能性を。

「クスノキさん、クスノキさん」

タンデムに座っている間だけは俺に抱きつくことを躊躇《ちゅうちょ》しなくなったミヤギが、

走行中に脇腹《わきばら》を叩いてくる。速度を落とし、「どうした？」と訊くと、俺を励まそうとしてのことだろう、彼女は「いいことを教えてあげましょう」という。

「思い出したんです。この道、私、遠い昔にきたことがあります。監視員になるより、ずっと前に。……このまましばらく道なりにいって、あるところで右折して直進し続けると、星の湖につくんですよ」

「星の湖？」

「私が死ぬ前にもう一度いきたいといった、あの湖です。正式名称は知りませんけど」

「ああ、そういえば、そんな話もしたな」

「いいことを聞いたでしょう？」

「そうだな、いいことを聞いた」と俺も無暗に明るく返した。「是非《ぜひ》いってみようじゃないか」

「ガソリンは持ちそうですか？」

「途中で入れていくよ」

最寄りのセルフスタンドで限界までガソリンを補充し、ミヤギの指示に従って移動した。時刻は既に二十時を過ぎていた。長い山道を、要所要所でエンジンを休ませながら上り、一時間半ほど走った末、彼女のいう星の湖に到着した。

付近のコンビニでカップラーメンを買って外のベンチで食べた後、その先にある駐車場にカブを停め、ほとんど明かりのない道を歩いた。ミヤギは懐かしそうに辺りの建物をきょろきょろと見回しながら、何度も俺に「まだ上を見てはいけませんよ」と注意を促した。視界の隅には確かにすさまじい星空があるようだったが、ミヤギにいわれた通り、俺は下を向いて歩いた。

「さて、ここからは、私のいうことをよく聞いてください」とミヤギがいった。「ここから先は私が誘導しますので、いいというまでは、目を閉じていてほしいんです」

「ぎりぎりまで見せたくないってことか？」

「ええ。せっかくの星空なんだから、クスノキさんも、どうせなら一番いい条件で見たいでしょう？　……さあ、目を閉じてください」

指示に従うと、ミヤギは俺の手を取り、「こちらです」とゆっくり導いた。目を瞑って歩くと、代わりに、それまで聞こえなかった音が聞こえるようになった。それまで一つの音と思っていた夏虫の声が、四種類に聴きわけられた。じいじいと低音で鳴き続ける虫、ひりひりと高音で鳴き続ける虫、一際目立つ声で鳥のように鳴く虫、蛙《かえる》のように耳障りな声で鳴く虫。微かな風の音や遠くの波の音、俺たち二人の足音の違いまで聞きとれた。

「ねえ、クスノキさん。もし私が今、あなたを騙して、とんでもない場所に向かっていたらどうします?」

「とんでもない場所ってのは?」

「そうですね……崖《がけ》や橋の上のような、落下の危険のある場所とか」

「考えたこともないし、考えようとも思わないな」

「なぜ?」

「ミヤギがそんなことをする理由が見当たらないからさ」

「そうですか」とミヤギはつまらなそうにいった。

足元の感触がアスファルトから砂に変わり、それからまたすぐに木に変わった。桟《さん》橋《ばし》に着いたのだろう。「目を閉じたまま、止まってください」とミヤギがいい、繋いでいた手を離した。「足元に気を付けて、仰向けに寝てください。それが済んだら、目を開けてもいいですよ」

腰を下ろし、慎重に背中を地面につけ、一呼吸おいて、俺は目を開けた。

視界に広がっていたのは、俺の知っている星空ではなかった。

あるいはこういえるかもしれない。この日、俺は初めて星空を知ったのだ。

そうした星空を、本やテレビを通じて見たことはあった。夏の大三角があって、その中を天の川が流れている、一面にスパッタリングを施したような空があることは、一応知ってはいた。

しかし、そうした資料を通じて、いくら色や形状を正確に知っていようと、その「大きさ」だけは、どうしても上手く想像できないものなのだ。

目の前にある星空は、俺が考えていたものよりも、遙かに、遙かに大きかった。

強い光を放つ雪が降り注いでいる様だった。

脇に立っているミヤギに、俺はいった。「ミヤギが死ぬ前にこれをもう一度見たいといった理由が、なんとなくわかった気がする」

「そうでしょう？」とミヤギは俺を見下ろして得意気にいった。

それからとても長い間、俺たちは桟橋に寝転んで夜空を見上げていた。流れ星を三つ見た。次に星が流れたとき、自分は何を願うだろう、と俺は考えた。今更寿命を取り戻したいとは思わない。すべてをやり直すほどの活力は、もう俺には残されていない。時間を巻き戻したいとも思えない。すべてをやり直すほどの活力は、もう俺には残されていない。

このまま安らかに、眠るように死んでいきたい、そう俺は願うだろう。それ以上を望むのは、身の程知らずというものだ。

ミヤギが何を願うかについては、考えるまでもない。彼女の願い。それは監視員を辞めること――つまり、透明人間でなくなることだろう。あらゆる人間に存在を無視され、唯一認識してくれる相手である監視対象者は、必ず一年以内に死んでしまう。いくらミヤギが我慢強い人間であろうと、三十年間もそんな生活に耐えられるわけがないのだ。

「ミヤギは」と俺は口を開いた。「俺のためを思って嘘をついていたんだろう？　ヒメノが俺のことをほとんど覚えていない、なんて嘘を」

ミヤギは仰向けに寝たまま顔をこちらに向け、質問に答える代わりに、こういった。

「私にも、幼馴染がいたんです」

俺は記憶を探りながらいった。「それは、以前いっていた、〝大切だった人〟のことか？」

「そうです。よく覚えてましたね」

無言で続きを待っていると、ミヤギはゆっくり語り始めた。

「あなたにとってのヒメノさんのような相手が、かつて、私にもいました。私たちは、この世界の在り方に馴染めない者同士、肩を寄せあって、共依存的な二人だけの世界に生きていました。……監視員になって、初めての休日にまず私がしたことは、彼の様子を見にいくことでした。『きっと、私がいなくなって、どうしようもなく悲しんでいるだろう』と私は考えていました。自分の殻《から》に固く閉じこもって、私の帰りを待ち望んでいるだろうと、信じて疑わなかったんです。……ところが、数週間ぶりに見る彼は、私のいない世界に、あっさり順応していました。いえ、それどころか、私が姿を消してから一か月も経つ頃には、私たちを異質なものとして排斥《はいせき》していた人たちと同じようなやり方で、彼はこの世界に完全に馴染んでいたんです」

ミヤギは再び空を眺め、渇いた笑みを浮かべた。

「そのとき、私は気付いたんです。彼にとって、私は、単なる足枷《あしかせ》に過ぎなかったんだと。……本心をいえば、私は、彼に、不幸になってもらいたかったんだと思います。彼には、たっぷり悲しんでもらって、絶望してもらって、殻に閉じこもってもらって、絶対に帰らない私の帰りを待ってもらって、それでもなんとか、辛うじて息をしていてほしかったんです。彼が一人で強く生きていけるなんて、知りたくなかった。……以来、私は彼の姿を、一度も見にいっていません。たとえ彼が幸せそうにしていたとしても、不幸せそうにしていたとしても、どちらにせよ、悲しくなるだけですから」

「それでも、死ぬ前には、やっぱりそいつに会いたいんだろう？」

「ええ。だって、私、他に何も知りませんからね。最後の最後にすがれるところは、やっぱりそこしかないんです」ミヤギは体を起こし、その場に三角座りした。「だから私、あなたの気持ち、とてもよくわかるんですよ。あなたは、わかってほしくなんかないかもしれませんけど」

「いや」と俺は即答した。「わかってくれて、ありがとう」

「どういたしまして」とミヤギは控えめに微笑んだ。

湖付近の自販機をカメラに収めると、俺たちはアパートに帰った。

今日はとても疲れましたので、といってミヤギは俺の布団に潜った。

一度だけこっそりミヤギの方を盗み見ようとすると、彼女もまったく同じことをしようとしていたらしく、俺たちは慌てて目を逸らし、反対側を向いて寝た。

そういう日々がずっと続くことを、俺は流れ星に願うべきだったのだろう。

次に目を覚ましたとき、ミヤギはいなくなっていた。

ノートだけが、枕元に残されていた。

12. 嘘つきと小さな願い

ミヤギが監視員としてこのアパートを訪れた当初、俺は彼女の視線が気になって仕方がなかった。『もし監視員が、この女の子と対照的な、醜く太った不潔な中年などであれば、俺はもっとリラックスして、自分のやりたいことについて正直に考えることができただろう』、そう思ったものだった。

今、ミヤギの代わりに俺の前にいる監視員は、まさにそのような男だった。背は低く、頭髪は見苦しく禿《は》げ上がり、顔は酔っ払いのように赤らんでいるくせに髭《ひげ》は青々としており、肌は脂《あぶら》ぎっていた。目は不自然に瞬きが多く、鼻息は荒く、喉の奥に痰《たん》が絡まっているような喋り方をした。

「いつもの子は？」俺が最初に訊ねたのは、それだった。

「休みだ」と男はぶっきらぼうに答えた。「今日と明日は、俺が代理だ」

俺は胸を撫で下ろした。監視員が交代制でないことに感謝した。二日待てば、またミヤギは戻ってくるのだ。

「監視員にも、休日があるんだな」と俺はいった。

「そりゃあ必要さ。お前と違って、今後もずっと生きていかなきゃならねえんだからな」と男は嫌味たらしくいった。

「そうか。それは、安心した。明後日には休日が終わって、元に戻るんだな？」

「一応、そういう予定にはなってる」と男は答えた。

寝ぼけ眼を擦り、改めて部屋の隅にいる男の姿を見ると、彼は俺のアルバムを手に取って眺めていた。これまで撮ってきた自販機の写真が入っているアルバムだ。

「一体、こりゃ何なんだ？」と男は俺に訊いた。

「自動販売機も知らないのか？」と俺はとぼけてやった。

男は舌打ちをした。「何のためにこんな写真を撮ってるのか、と訊いたつもりだったんだが」

「空が好きな奴が空を撮ったり、花が好きな奴が花を撮ったり、電車が好きな奴が電車を撮ったりするのと同じだよ。撮りたいから撮ってる。俺は自販機が好きなんだ」

男はアルバムを退屈そうに何ページか捲《めく》り、「ゴミだな」といって俺に投げてよこした。そして辺りに散らばっている膨大な数の折り鶴を眺めて、わざとらしく溜め息をついた。

「こんなことに余生を費やしてるのか。くだらねえ。もっとマシな過ごし方はないのか?」

彼の態度は、それほど俺を不快にさせなかった。思ったことを率直にいってもらえるのは、考えようによっては気が楽だった。部屋の隅から物いいたげな目で見つめられ続けるよりは、ずっといい。

「あるかもしれないが、これ以上楽しいことをしてたら、身が持たないからな」

そういって俺は笑った。

以後もその調子で、ことあるごとに彼は難癖《なんくせ》を付けてきた。今度の監視員はやけに突っかかってくるな、と俺は思った。

その原因がわかったのは、昼食後、扇風機の前に寝転んで音楽を聴いているときだった。

「おい、お前」と男はいった。聞こえないふりをしていると、男は咳払《せきばら》いをして、いった。「お前、あの子を困らせるようなことはしちゃいねえだろうな?」

〝あの子〟に該当する人物は一人しか思いつかなかったが、この男がミヤギのことをそんな風に呼ぶとは想像していなかったので、返事をするのが遅れた。

「あの子ってのは、ミヤギのことか?」

「他に誰がいる?」

俺がミヤギの名を口にするのが不快だとでもいうように、男は眉を顰めた。

それを見て、急にこの男に対して好意が湧いてきた。

なんだ、あんたも仲間か。

「ひょっとして、あんた、ミヤギと親しいのか？」と俺は訊いた。

「……いや。そういうわけじゃない。何せ、俺たちも互いに姿は見えねえからな」急に男の口調は大人しくなった。「二、三回、書面でやり取りしたことがあるだけだ。ただ、あの子の時間を買い取る担当が俺だった。だから記録には十分目を通してある」

「どう思った？」

「可哀想《かわいそう》な子だよ」と男はきっぱりいった。「本当に、本当に、可哀想な子だ」

どうやらそれは、本心からの言葉であるようだった。

「俺の寿命も、その子と同じ値段だったよ。可哀想だろう？」

「馬鹿野郎、お前はもうすぐ死ぬからいいんだよ」

「それは正しい物の見方だと思う」と俺は賛同した。

「しかし、あの子はよりによって、一番売っちゃいけないものを売っちまったんだ。当時まだ十歳だったあの子には、正常な判断なんてできるはずもなかった。可哀想に、あの子は今後、お前みたいな自暴自棄な連中を相手にし続けなきゃならねえんだ。

……で、話は戻るが、お前、あの子を困らせるようなことはしてねえだろうな？　答えによっちゃ、お前の余生の過ごしやすさも変わってくるぜ」

　俺はますますこの男が気に入ってきた。

「かなり、困らせたと思う」と俺は正直に答えた。「彼女を傷付けるようなこともいったし、もう少しで怪我をさせるところだったし……それに、あとちょっとで、無理矢理押し倒すところだったな」

　顔色を変え、今にも摑みかかってきそうになっている男に、俺はミヤギが置いていったノートを差し出した。

「何だ、これは」男がノートを受け取る。

「詳しいことは、それに書いてあると思う。ミヤギが置いていった、俺の観察記録だ。監視対象者本人に読まれちゃまずいものなんだろう？」

「観察記録？」彼は親指を舐め、ノートの表紙を開いた。

「あんたらの仕事のことはよくわからないし、そんなに厳密な規則があるようにも見えないが、万が一、この忘れ物から責任問題なんかに発展してミヤギが罰を受けるようなことになったら嫌だからな。あいつの味方らしい、あんたに渡しておくよ」

　男は受け取ったノートを開き、ページを捲り、軽く目を通した。二分ほどで最後のページまで捲り終えると、男は、「なるほどな」と一言だけいった。

そこに何が書いてあったのかは、俺もわからない。しかし以後、男はほとんど突っかかってこなくなった。ミヤギは俺のことを好意的に書いてくれていたのだろう。間接的にその証拠を得られたことを、嬉しく思った。


このとき俺が自分のノートを購入することを思い付かなかったら、この記録が書かれることもなかっただろう。ミヤギのノートを男に託した後、俺は、自分のノートがほしくなった。文具屋にいってB5のツバメノートと安価な万年筆を買ってきた後、そこに書くべきことについて考えた。

代理監視員が傍にいるこの二日間は、ミヤギが傍にいるときにはできないようなことをするべきだ。初めは何か自堕落《じだらく》なことでもしてやろうかと思ったが、そういうことをすると、次にミヤギに会ったとき、たとえ口には出さなくとも、後ろめたさが態度に出てしまうような気がした。だから俺は、健全な意味で「ミヤギに見られたくないこと」をすることにしたのだ。

古いビルの階段を上り、四階の店で寿命を売ったあの日から今日までにあったことを、ノートに記していった。一ページ目には、小学生の頃に受けた道徳の授業のことを書いた。何も考えずとも、次に書くべきことはわかった。命の値段について初めて考えた日のこと。当時は、自分が偉い人間になると思っていたこと。ヒメノと交わした約束のこと。古書店やCDショップで、寿命を買い取る店について教わったこと。その店で、ミヤギと出会ったこと。

言葉は淀《よど》みなく溢れてきた。空き缶を灰皿代わりにして煙草を吸いながら、俺は文字を綴《つづ》り続けた。万年筆が紙に擦れる音が心地よかった。部屋は蒸し暑く、汗がノートに落ち、字が滲んだ。

「何書いてんだ？」と男がいった。

「この一か月にあったことを記録してるんだ」

「書いてどうする？　誰かに読ませるのか？」

「さあな。そんなことはどうでもいいんだ。俺は、書くことで、整理してるんだよ。頭の中にあるものを、より収まりのいい位置に移動させてるんだ。デフラグみたいなものさ」

夜中まで、俺の手が止まることはなかった。美文とはほど遠い文章とはいえ、そこまですらすらと自分が物を書けることに驚いた。

二十二時を過ぎた辺りで、突然ぷつりと言葉が止まった。今日はもう書けそうにないな、と思った。万年筆をテーブルに置くと、俺は外の空気を吸いにいった。男も億劫そうに腰を上げ、後ろをついてきた。

夜道を当てもなく歩いていると、どこからか太鼓《たいこ》の音が聞こえた。祭りに向けた練習だろう。

「監視員をしているってことは、あんたも自分の時間を売ったのか？」俺は振り向き、男に訊いた。

「そうだといったら同情でもしてくれるのか？」と男は鼻で笑った。

「ああ。するよ」

男は意外そうな目で俺の顔を見た。「……そいつはありがてえ、といいたいところだが、俺は別に寿命も時間も健康も売ってねえよ。好きでこの仕事をやってるんだ」

「悪趣味だな。何が楽しいんだ？」

「楽しいわけじゃない。他人の墓を参るようなもんだ。いつかは、俺だって死ぬ。それを受け入れるために、今のうちにたくさんの死に触れておきたいんだよ」

「年寄りの考えそうなことだ」

「ああ。年寄りだからな」と男はいった。

アパートに戻り、風呂上がりにビールを飲み、歯を磨き、布団を敷いて寝ようとしたが、この日も隣部屋が騒がしかった。三、四人が、窓を開けたまま喋っているらしい。昼夜問わず、あの部屋にはいつでも客がきている気がする。監視員以外は入れたことのない俺の部屋とは大違いだ。

耳栓代わりにヘッドホンをして、明かりを消し、目を閉じた。

脳の普段使わない部分を使ったせいか、俺は一度も目を覚まさずに十一時間も眠り続けた。

次の日も、ノートを文字で埋めることに一日を費やした。ラジオは甲子園のことばかり取り上げていた。夕方頃には、記録が現在に追い付いていた。

万年筆を放すと指先が震えた。腕や手の筋肉は悲鳴を上げていたし、首ががちがちに凝り、頭が微かに痛んだ。それでも、何かをやり遂げたという達成感は悪いものではなかった。また、記憶を再解釈した上で文字に置き換えることによって、よい記憶はより味わいやすい形に、悪い記憶はより受け入れやすい形に変化したようだった。

その場で仰向けになり、天井を見上げた。天井には、どうやって付けたのかわからないような黒く大きな染みがあり、曲がった釘《くぎ》が何か所かから突き出ていた。隅には蜘蛛《くも》の巣さえあった。

近所の野球場で中学生の試合を立ち見した後、市場で行われていたフリーマーケットを見て回り、食堂にいき残飯《ざんぱん》のような夕食をとった。

明日にはミヤギが戻ってくるんだ、と俺は思った。

早めに寝てしまうことにした。テーブルの上に開きっぱなしにしていたノートを本棚にしまい、布団を敷いていると、監視員の男が話しかけてきた。

「これは監視対象者全員に訊くことにしてるんだが——お前は寿命を売って得た金を、何に使ったんだ？」

「観察記録に書いてなかったか？」

「……あまり詳しくは読んでねえんだよ」

「一枚ずつ配って歩いたよ」と俺はいった。「ほんの少しだけ生活費に使ったが、もともと大半は、ある人にあげる予定だったんだ。しかしその人に逃げられて、仕方なく、見知らぬ他人に全部あげたってわけさ」

「一枚ずつ？」

「ああ。一万円札を、一枚ずつ配って歩いたんだ」

それを聞いた男は、たがが外れたように笑い出した。

「面白いだろう？」と俺がいうと、「いや、俺が笑ってるのは、そこじゃない」と男は笑いながらいった。奇妙な笑い方だった。ただおかしくて笑っているというわけではなさそうだ。「……そうか。ってわけはお前、せっかく寿命を売って得た金の大半を、無償で見知らぬ人にあげちまったわけか」

「そういうことだな」と俺はうなずいた。

「救いようのねえ馬鹿野郎だな」

「そう思うよ。もっと有効な使い道はいくらでもあった。三十万もあれば、色々できただろうにな」

「違う。俺が馬鹿にしてるのは、そこじゃねえんだよ」

男の言い方には、どこかひっかかるところがあった。

そして男は、ついに、こういった。

「なあ、お前、まさか——本当に、自分の寿命が三十万だっていわれて、疑いもせずに信じちまったのか？」

それは、俺を根元から揺さぶる質問だった。

「どういうことだ？」と俺は男に訊いた。

「どういうも何も、言葉そのままの意味だ。本当に、自分の寿命が三十万だっていわれて、はいそのとおりですねと三十万を受け取ったのか？」

「そりゃ……最初は、安すぎると思ったが」

男は床を叩いて笑った。

「そうかそうか。俺からはちょっと何もいえないが」と男は腹を抱えながらいう。「……まあ、明日あの子に会ったら、直接訊ねてみるのもいいんじゃねえか？『俺の寿命、本当に三十万だったのか？』ってな」

俺は男を問い詰めようとしたが、彼はそれ以上を教える気はないらしかった。

真っ暗な部屋で天井を見つめながら、俺はいつまでも眠れずにいた。

彼の言葉の意味を、いつまでも考え続けていた。


「おはようございます、クスノキさん」

窓から差し込む光で目を覚ました俺に、ミヤギはいう。

部屋の隅から親密な微笑みを投げかけてくれているこの女の子は、俺に一つの嘘をついているのだ。

「今日は、どんな風に過ごすんですか？」

喉元まで出かかった言葉を、寸前で呑みこんだ。

このまま何も知らないふりをしていよう、と俺は決めた。

ミヤギを困らせてまで、真実を知りたいとは思わない。

「いつも通り過ごすよ」と俺はいった。

「自販機巡りですね」とミヤギは嬉しそうにいった。

青空の下を、田圃《たんぼ》沿いの道を、曲がりくねった田舎道を、どこまでも走った。道の駅で岩魚の塩焼きやソフトクリームを二人で食べたり、人の気配はないのに自転車だけはたくさん停められている奇妙なシャッター街をカメラに収めたりしているうちに、あっという間に夜がきた。

小規模なダムでカブを降り、階段を下って散策路に入った。

「どこに向かってるんですか？」

俺は振り返らずにいった。「もし俺が今、あんたを騙して、とんでもない場所に向かっていたらどうする？」

「つまり、綺麗な景色の見られる場所へ向かっているってことですね？」とミヤギは合点したようにいった。

「曲解だな」と俺はいったが、ミヤギのいう通りだった。

川沿いの林に繋がる小橋を渡る頃には、彼女にも俺の目的がわかったようだった。

ミヤギはその光景に見入った様子でいった。

「あの、これは見当違いな感想かもしれないんですけど……蛍って、本当に光るんですね」

「当たり前だろ、蛍なんだから」と俺は笑ったが、彼女のいいたいことは理解できた。俺が湖の星空を見て感じたようなことを、ミヤギも今感じているのだろう。そういうものが存在するのは、知っている。けれどもある段階を超えた美しさというものは、いくらそれがどんなものであるか具体的に知っていようと、実際に見てみるまでは何も知らないのと似たようなものなのだ。

無数の緑がかった蛍の光がふわふわと明滅しながら漂う小道を、ゆっくり歩いた。光をじっと眺めていると、焦点がぼやけ、立ち眩みを起こしそうになった。

「私、もしかすると、蛍を見たのは初めてかもしれません」とミヤギがいう。

「最近は、蛍もめっきり減ったからな。然るべき時間帯に、然るべき場所にいかないと、中々見ることはできない。こいつらがここで見られるのも、あと数日程度だろうな」

「クスノキさんはよくここにくるんですか？」

「いや。去年の今頃に、一度きたことがあるだけだ。それを、つい昨日思い出した」

蛍の発光のピークが過ぎ、俺たちはもときた道を引き返した。

「……これは、湖の件のお礼、と受け取ってもいいんでしょうか？」とミヤギが訊いてきた。

「俺が見たいと思ったから、見にきただけだよ。しかし、どう受け取るかは、あんたの自由だ」

「わかりました。自由に受け取ります。すごく」

「いちいちいわなくていい」

アパートに戻り、日課の写真整理も終わり、寝支度を整え、ミヤギの「おやすみなさい」に同じ言葉を返し、電灯を消したところで、俺は彼女の名前を呼んだ。

「ミヤギ」

「はい、なんでしょう？」

「どうして嘘なんかついたんだ？」

ミヤギは俺の顔を見上げて、目を瞬かせた。

「何のことをいっているのか、よくわかりませんね」

「それなら、もう少しわかりやすくいおうか。……俺の寿命、本当に三十万だったのか？」

ミヤギの目の色が変わったのがわかるほど、月の明るい夜だった。

「もちろんですよ」と彼女は答えた。「残念ですけど、あなたの価値は、そんなものなんです。もうとっくに、受け入れているものだと思ってました」

「昨日の夜までは、俺もそう思ってたんだ」と俺はいった。

ミヤギは俺が確信を抱いていることを察したようだった。

「代理の監視員に、何かいわれたんですね？」と彼女は溜め息交じりにいった。

「俺はただ、もう一回確認してみろっていわれただけさ。具体的な事実は何も知らされていない」

「そんなことといっても、三十万は、三十万ですよ」

あくまでしらを切り通すつもりらしかった。

「……ミヤギが嘘をついていると聞いたとき、最初は単純に、俺が本来受け取るべき金を、ミヤギがくすねたと思ったんだ」

ミヤギは俺を上目遣いに見つめた。

「本来の値段は三千万とか三十億なのに、あんたがこっそり横領して、俺には嘘の値段を告げた。最初はそう思っていた。……でも、どうしても信じられなかった。信じたくなかった。ミヤギが俺のことを、出会ったときから騙していたなんて。俺に向けてくれる笑顔の裏に、そんな嘘があったなんて。何か俺は、根本的な勘違いをしてるんじゃないか、と思った。それで一晩考え続けて、ふと、理解したんだ。……そもそも俺は、前提から間違っていたんだな」

そう、十年前に、既にあの女性教員はいっていたのだ。

ここでは、一度そういう考え方を捨ててほしいんです、と。

「なぜ寿命一年につき一万円という値段が、最低買取価格だなんて信じていたんだろう？　なぜ人の一生が本来数千万や数億で売れて当たり前だなんて信じていたんだろう？　よけいな前知識がありすぎたんだな。命が何よりも尊いものであるなんていうたわごとを、心のどこかでまだ信じていたのかもしれない。とにかく俺は、自分の勝手な常識に物事を当てはめ過ぎた。もっと、最初から、柔軟に考えてみるべきだったんだ」

俺は一呼吸おいて、それからいった。

「なあ、どうして見ず知らずの俺に、あんたが三十万も渡す気になったんだ？」

ミヤギは「何をいっているのか、さっぱりわかりませんね」といって目を逸らした。

俺はミヤギが座っている位置の対角線上にある部屋の隅に移動して、彼女と同じように三角座りをした。

ミヤギはそれを見て、ちょっとだけ微笑んだ。

「あんたが知らん振りするなら、それでもいい。でも、一応いわせてもらうよ。ありがとう」

ミヤギは首を横に振った。

「いいんですよ。こんな仕事ずっと続けてたら、どうせ母と同じように、借金を返し終わる前に死んじゃうんです。仮に返し終えて自由の身になったとしても、楽しい人生が約束されてるわけでもないですしね。だったらまだ、そういうことにお金を使った方がいいんです」

「実際のとこ、俺の価値っていくらだったんだ?」と俺は訊いた。

しばらく間があった。

「……三十円です」とミヤギは小声でいった。

「電話三分程度の価値か」と俺は笑った。「悪かったな、せっかくミヤギがくれた三十万、あんな形で使っちまって」

「そうですよ。もっと自分のために使ってほしかったです」

怒ったような言い方をしつつも、ミヤギの声は優しげだった。

「でも、クスノキさんの気持ちは、よくわかるんですよ。私があなたに三十万円を与えた理由も、あなたが三十万円を配って歩いた理由も、多分、根っこは一緒ですから。寂しくて、悲しくて、空しくて、自棄《やけ》になったんですよ。それで、ひとりよがりな利他行為に走ったりしたんです。……でも、考えてみたら、私が三十万円なんて嘘をつかずに本当のことをいっていれば、逆に、あなたは寿命を売らなかったかもしれないんですよね。そうすれば、少なくとも、もっと長生きすることはできたのに。よけいなことして、ごめんなさい」

背中を丸め、膝に顎を埋め、爪先《つまさき》を見つめながらミヤギはいう。

「あるいは私は、一度でいいから、一方的に誰かに何かを与える側に立ってみたかったのかもしれませんね。自分がしてほしかったけど、誰にもしてもらえなかったことを、自分とよく似た境遇の可哀想な誰かにしてあげることで、自分を救おうとしたのかもしれません。でもいずれにせよ、その行為は私の歪んだ厚意の押し付けに過ぎないんです。すみません」

「そんなことはないさ」と俺は否定した。「最初から『あなたの価値は三十円です』なんていわれていたら、俺はいよいよ自棄になって、三か月といわず、三日も残さずに寿命を売り払っていたと思う。あんたが嘘をついてくれなかったら、俺はこうやって自販機巡りをしたり、鶴を折ったり、星を見たり、蛍を見たりすることもできなかった」

「あなたが自棄になる必要なんて、そもそもないんですよ。三十円なんて、どこかの偉い人たちが勝手につけた値段でしかないんですから」とミヤギは訴えるようにいった。「少なくとも私にとって、今のクスノキさんは、三千万とか、三十億の価値がある人間なんです」

「妙な慰めはよしてくれよ」と俺は苦笑いした。

「本当ですよ」

「あんまり優しくされると、逆に惨めになるんだ。あんたが優しいことは十分に知ってる。だから、もういい」

「うるさいですね、だまって慰められてくださいよ」

「……そんな風にいわれたのは初めてだな」

「というか、これは慰めでも優しさでもないんです。私がいいたいことを、勝手にいっているだけですよ。あなたがどう思おうと、知ったことじゃありません」

ミヤギは少し恥ずかしそうにうつむいた。

そして、こういってくれた。

「確かに、初めのうちは、私はあなたのことを、三十円に相応しい人間だと思っていました。三十万円を渡したのは、あくまで自己満足のためで、相手は別にクスノキさん以外の誰かでも構わなかったんです。……でも、ちょっとずつ、その認識は変わっていきました。駅の一件の後、あなた、私の話を真面目に聞いてくれたじゃないですか。時間を売らざるを得なかった私の境遇に、同情してくれましたよね。あの日から、私にとってのクスノキさんは、ただの監視対象者ではなくなってしまったんです。これだけでも大問題なのですが、その後、私は更なる問題を抱えることになりました。……その、あなたにとっては、何でもないことなんでしょうけど、困ったことに私、あなたが話しかけてくれることが、嬉しかったんですよ。人前でも構わず話しかけてくれることが、どうしようもなく嬉しかったんです。私、ずっと、透明人間だったからら。無視されるのが、仕事だったから。普通の店でお話ししながら食事したり、一緒に買い物をしたり、ただ街を歩いたり、手を繋いで川沿いを散歩したり、そんな些細なことが、私にとっては、夢のようでした。場所も状況もわきまえず、どんなときも一貫して私のことを〝いる〟ものとして扱ってくれたのは、クスノキさん、あなたが初めてだったんです」

何と返せばいいのか、わからなかった。

自分が誰かに感謝されているなんて、思ってもみなかった。

「……あんなことでよければ、俺が死ぬまでは、いつでもやってやるよ」

そういって茶化すと、ミヤギはこくりとうなずいた。

「そうでしょうね。だから、好きなんです。あなたのこと」

いなくなる人のこと、好きになっても、しかたないんですけどね。

そういって、彼女は寂しそうに笑った。

胸が詰まって、しばらく口がきけなかった。

処理落ちしたみたいに、瞬きさえできず、何もいえずにいた。

「ねえ、クスノキさん。他にも私は、あなたにたくさん嘘をついてきたんです」とミヤギは微かに潤《うる》んだ声でいった。「寿命の値段のことや、ヒメノさんのこと以外にも。たとえば、あなたが他人に迷惑をかけようとしたら寿命を尽きさせられるということ。あれは嘘です。私から百メートル以上離れたら死ぬということ。それも嘘です。どれも、私の身を守るための方便に過ぎません。嘘ばっかりなんです」

「……そうだったのか」

「もし腹が立ったのなら、私に何をしても構いませんよ」

「何をしても？」と俺は訊きかえす。

「ええ、どんなにひどいことでも」

「じゃあ、遠慮なく」

そういうと、俺はミヤギの手を引いて立ち上がらせ、強く抱きしめた。

どれくらいの間、そうしていたのかはわからない。

俺はそれを記憶しようとする。やわらかい髪。形のよい耳。細い首。頼りない肩と背中。控えめな胸の膨らみ。緩《ゆる》やかな曲線を描く腰。五感を最大限に用いて、脳の一番深い部分に、強く刻み付ける。根幹に焼き付ける。

何かあっても、いつでも思い出せるように。二度と忘れないように。

ひどいことしますね、とミヤギはいい、鼻を啜った。

「もう、こんなことされたら、あなたのこと、忘れられないじゃないですか」

「ああ。俺が死んだら、たくさん悲しんでくれ」と俺はいった。

「……そんなことでよければ、私が死ぬまでは、いつまでもやってあげますよ」

そういって、ミヤギは笑った。


この時、無意味で短い俺の余生に、ようやくひとつの目標ができる。

ミヤギの言葉は、俺に、すさまじい変革をもたらした。

残り二か月しかないこの人生で、どうにかして、彼女の借金を全部返してやりたい。
そう思った。
一生が缶ジュース一本の値段に満たないこの俺が、だ。
身のほど知らずとは、こういうことをいうのだろう。

13. 確かなこと

話は徐々に終わりに近付いている。俺がこの記録に割ける時間も少なくなってきた。このままでは最後まで書き切れるかどうかも覚束《おぼつか》ない。

徐々に文章の密度を下げていかざるを得ないことを、残念に思う。

ミヤギの借金を返済することに余生を捧げる決意をした俺だったが、見当違いばかりする愚かさは、そう簡単に治るものではなかった。だがここから先の話に限っていえば、俺の見当違いはそこまで責められるものでもあるまい。そもそも、前提からいって無理のある話なのだ。ミヤギの借金は、かつてヒメノのいっていたサラリーマンの生涯賃金を遙かに上回る額だった。それだけの金額を平凡な大学生が二か月で稼ぐのに、当《とう》を得たやり方など端《はな》から存在しないのだ。

それでもひとまず、検討はしてみた。地道に働こうという殊勝《しゅしょう》な考え方は、この場合に限っては非現実的だった。どんなに懸命に働いたところで、二か月程度しか働けないのであれば焼け石に水だ。ミヤギがくれた三十万を返すくらいはできるだろうが、俺がそのためだけに余生を労働に費やすことを彼女が望むとは思えなかった。同様に、窃盗《せっとう》、強盗、詐欺、誘拐といった犯罪に俺が手を染めることも、ミヤギは望まないだろう。彼女のために稼ぐのだからこそ、彼女が望まない方法で稼ぐわけにはいかなかった。

賭け事という手も考えたが、流石《さすが》の俺も、それを本気で実行するほどの馬鹿ではなかった。こういう切羽詰まった状況でのギャンブルはまず勝てないのだということを、俺はよく知っていた。いつだって賭け事は、金が余っている人間が勝つものだ。

幸運の女神は、こちらから手を伸ばすと逃げてしまう。向こうから近付いてくるのを辛抱強く待って、ここぞというタイミングで捕まえるものだ。しかし俺にはそれを待っているだけの余裕はなかったし、そのタイミングを嗅ぎ取るだけの嗅覚《きゅうかく》をそもそも持ちあわせていなかった。

雲をつかむような話だ。二か月で一生分稼ぐ方法、そんな素晴らしいものがあるなら、誰もがとっくに実行している。俺のやっていることは、皆がはっきりと「不可能である」と証明したことを、わざわざもう一度証明しようというだけのことに過ぎない。俺の唯一の武器といえば、余生が短いだけにどんなリスクでも負えるという点だったが、人生を投げ打ってでも金を稼ぎたいと思った人間は俺が初めてではないだろう。そして彼らの大半が上手くいかなかったであろうことは、容易に想像できた。

それでも考え続けた。無謀《むぼう》は承知だ。これまで誰一人達成できなかったというなら、俺が一人目になるしかない。自分にいい聞かせる。考えろ、考えろ、考えろ。どうすれば残り二か月でミヤギの借金を返済できる？　どうすればミヤギが毎日安心して眠れるようになる？　どうすれば俺がいなくなった後のミヤギを一人ぼっちにしなくて済む？

街を歩きながら、俺はひたすら思案した。決まりきった答えのない考え事をするには歩き続けるのが一番だということは、これまでの二十年の経験から感覚的にわかっていた。次の日も、その次の日も、歩き続けた。どこかに、自分にぴったりの答えが転がっていると期待して。

そうして考え続けている間、口にはほとんど物をいれなかった。これもまた経験からいえることだが、空腹がある一定のラインを越えると、直感は冴えわたるものだ。俺はそれを頼りにしていた。

あの店をもう一度利用するという考えに至るまで、それほど時間はかからなかった。俺の最後の希望は、かつて俺を絶望の淵に叩き込んだ、あの古びたビルにある店を、まだ二回利用する権利が残っているということだった。

ある日、俺はミヤギに訊いた。「ミヤギのおかげで今の俺は、以前の俺に比べると、遙かに幸福な人間になった。そんな俺の寿命を、今、仮にあの店で売ったとしたら、いくらくらいになるだろう？」

「……あなたの予想通り、人の価値というのは、ある程度、流動的なものです」とミヤギはいった。「しかし残念ですが、主観的幸福感というのは、そこまで寿命の価値に影響を及ぼさないんです。彼らが重視しているのは、客観的に計測可能な、根拠ありきの『幸福』ですからね。そういうのって、どうかと思いますけど」

「じゃあ、逆に、何が一番大きく価値に寄与するんだ？」

「社会貢献度とか、知名度とか……そういう、客観的にわかりやすいものは、やたらと優遇されていたと思います」

「わかりやすいもの、か」

「あの、クスノキさん」

「どうした？」

「妙なことは、考えないでくださいね」

ミヤギは心配そうな顔でいった。

「妙なことは考えていないさ。俺がしているのは、この状況で、もっとも自然な考えごとだ」

「……あなたが考えていることは、大体、わかっているつもりです」とミヤギはいった。「大方、私の借金を返す方法を考えてくれているんでしょう？　もしそうだとしたら、私は、嬉しいです。嬉しいんですけど、でもやっぱり、クスノキさんには、残された時間をそういうことに費やしてほしくないです。仮にあなたが、私の幸せを考えてそうしてくれているんだとしたら、申し訳ありませんが、それは見当違いだといわざるを得ません」

「参考までに訊くが、じゃあ何がミヤギにとっての幸せなんだ？」

「……構ってくださいよ」とミヤギは拗《す》ねた様子でいった。「最近、あまり話しかけてくれないじゃないですか」

ミヤギのいうことは、もっともだった。俺のしていることは、どこまでも見当違いだ。

しかし、そう簡単に諦めるわけにもいかないのだ。こちらにも意地があった。

社会貢献度や知名度といった、わかりやすい価値を身に付ける。そうすることで、寿命の買い取り額は格段に上がる。それは確からしかった。いってしまえば、誰もが名前を知っているような偉い人間になればいいのだ。

単純に金を稼ぐことと、寿命を高額で買い取ってもらえるだけの価値がある人間になること、どちらが現実的かは、正直わからなかった。どちらも同じくらい非現実的であるようにも思えた。しかし他に手段がないのであれば、検討してみないわけにはいかない。

一人で考える限界が近付いてきていた。そろそろ他者の想像力にも頼る必要があった。

まず訪れたのは、近所の古書店だった。もともと、困ったときは書店にいく習慣が俺にはあった。何気なく本棚を眺め、一見まったく関係のない書物を手に取って目を通しているうちに、大抵の問題は解決してしまうものだ。今回の件はそう簡単にはいかないだろうが、この日の俺は本だけには頼らなかった。

四方に積まれた書物に埋もれるような形で、店の奥でラジオの野球中継を聴いていた老店主に声をかけた。彼は顔を上げ、「おお」と気の抜けたような返事をした。

寿命を買い取る店の件については、一切触れないことにした。彼があの店の事情についてどこまで知っていたのか確かめたいという気持ちはあったし、何よりここ一か月の間にあったことを聞いてもらいたいという思いもあった。しかしその話をするとなると、自然、俺の余命が既に二か月を切っていることについても触れることになってしまい、彼に責任を感じさせてしまうことになるかもしれない。

だから俺は寿命の件には触れず、このときばかりはミヤギの存在を気取られないように振る舞いつつ、他愛のないことについて語った。天気のこと。野球のこと。本のこと。祭りのこと。会話はほとんど噛みあっていなかったが、不思議と俺は、独特の安らぎを覚えた。多分俺は、この店が、そしてこの老人のことが好きだったんだろう。

ミヤギが本棚をじっと眺めている隙をついて、俺は小声で老人に訊ねた。

「自分の価値を高めるには、どうすればいいと思います？」

老店主はラジオのボリュームを今更のように落とし、いった。

「そうさな。堅実にやる、しかねえんじゃないか。それは俺にはできなかったことなんだけどな。なんつうかな、結局、目の前にある『やれること』を、一つ一つ堅実にこなしていくこと以上にうまいやり方はねえんだと、この歳になって思っている」

「なるほど」と俺は相槌を打った。

「だが」と彼はそれまでの発言を打ち消すようにいった。「それよりも、もっと大切なことがある。それは『俺みたいな奴のアドバイスを信用しない』ってことだ。成功したことがないくせに成功について語っちまうような奴は、自分の負けを認められずにいるクズだ。だから学習しない。自分がなぜ負けたのか、ちゃんと理解しようとしない。そんな奴の話を、感心したふうな顔で聞いてやる必要はない。……多くの失敗者は、あたかも、次の人生があったらそこでは大成功できるとでもいいたげに失敗を語る。これだけ辛酸《しんさん》を舐めたんだから、もう失敗することはない、と考えてるんだ。しかし奴らは――俺を含めて、という話だが――根本的なところで勘違いをしている。失敗者は、確かに失敗については熟知しているだろう。だが、失敗を知ることと成功を知ることは、そもそも、まったくの別物なんだな。失敗を直したところにあるのが成功ってわけじゃねえんだ。そこにあるのは、あくまで灰色の出発点だ。そこんとこを、失敗者どもはわかってねえのさ」

ミヤギが似たようなことをいっていたことを思い出して、俺はちょっと可笑《おか》しくなった。〝彼らは、ようやくスタート地点に立ったというだけなんです。負け続けのギャンブルで、ようやく冷静さを取り戻したというだけなんです。それを一発逆転のチャンスだと勘違いすると、ろくなことになりませんよ〟。

最後に彼はいった。

「なあ、あんた、また寿命を売ろうと考えているんだろう?」

「何のことでしょう?」

俺は白々しく笑った。

古書店を出た後、俺はあの日と同じように、CDショップに入った。いつもの金髪の店員が愛想よく挨拶してきた。俺はここでも寿命の話には触れず、彼が最近聴いたCDの話などでお茶を濁した。

最後に、俺はまたミヤギに聞かれないようなタイミングを見計らって、訊いた。

「限られた期間で何かを成し遂げようと思ったら、どうすればいいんでしょうね？」

彼の返事は早かった。

「人を頼るしか、ないんじゃないっすかね。だって、自分一人の力じゃ大抵どうにもならないでしょう？　ときたら、他人の力を借りるしかないじゃないですか。俺、個人の力ってのを、そこまで信用してないんすよ。八割くらいの力を出して解決できないような問題は、あっさり他人を頼りますね」

参考になるのかならないのか、よくわからないアドバイスだった。

外ではいつの間にか、夏特有の急な大雨が降っていた。濡れるのを覚悟で外に出ようとすると、金髪の店員がビニール傘を貸してくれた。

「あなたが何をしようとしているのかはよく分かんないですけど、何かを成し遂げたいなら、まず健康は欠かせませんからね」

俺は礼をいい、渡された傘を差し、ミヤギと並んで帰った。小さい傘だったから、二人とも肩がずぶ濡れになった。すれ違う人々が俺を奇異の目で見ていた。傍目には、見当違いな位置に傘を差している馬鹿に映ったに違いない。

「こういうの、好きだなあ」とミヤギが笑った。

「どういうのが好きなんだ？」と俺は訊いた。

「んーと、つまりですね。周りには滑稽に見えるかもしれないけれど、あなたが左肩を濡らしていることには、とっても温かい意味がある、ってことです。そういうのが好きなんです」

「そうか」と俺はいった。少しだけ顔が熱くなった。

「恥知らずの、照れ屋さん」とミヤギは俺の肩をつついた。

ここまでくると、俺はもう、誰に何と思われようと構わないどころか、周りから異常者扱いされるのが楽しかった。そうすることで、ミヤギは笑ってくれるから。俺が滑稽になればなるほど、ミヤギは喜んでくれるから。

商店の軒下《のきした》で、俺とミヤギは雨宿りしていた。遠くでは雷の音が響き、排水溝から雨水が溢れ、靴の中はぐっしょりと濡れていた。

そこで俺は、知った顔に出会った。紺色の傘を差して足早に歩いていた彼は、俺の顔を見て立ち止まった。

同じ学部の、挨拶程度は交わす仲の男だった。

「久しぶりだな」彼は冷ややかな目でいった。「最近、一体どこで何してたんだ？　大学には全然顔を出してないみたいだけど」

俺はミヤギの肩に手を置いていった。「この子と遊び回ってたんだよ。ミヤギっていうんだ」

彼は露骨に不快そうな顔をした。「笑えねえよ、気持ち悪い」

「あんたがそう思うのも、無理はない」と俺はいった。「俺があんたの立場だったら、同じような反応を返しただろうな。だがそれを承知でいうが、ミヤギは確かにここにいる。あんたがそれを信じていないことを、俺は尊重する、だからあんたも、俺がそれを信じていることを尊重してほしいね」

「……あのな、クスノキ。前から思ってたが、お前、頭がおかしいんだよ。どうせ誰とも会わず、ずっと自分の殻に閉じこもってるんだろう？　ちょっとは外の世界に目を向けたらどうだ？」

彼は呆れたようにそういい、去っていった。通り雨だったらしく、すぐに晴れ間が覗き始めた。濡れた路面からの照り返しに、俺たちは目を細めた。

「あの、さっきの……ありがとうございます」

ミヤギはそういって俺に肩を寄せた。

俺はミヤギの頭に手を載せ、彼女の柔らかい髪を指で梳《す》いた。

〝堅実に〟、か。

古書店の老店主のアドバイスを、小さく口にする。本人はそれを信用するべきでないといったが、今の俺にとっては意味のある言葉であるように思えた。

借金を返す、という発想に縛《しば》られ過ぎていたのかもしれない。考えてみれば俺には、ミヤギの幸せのためにしてあげられることが、確かにあるのだ。本人は俺に「構ってくださいよ」という。こうやって俺が周りに不審者扱いされるだけでも、彼女はずいぶん嬉しいらしい。

目の前にやるべきことがあるのに、どうしてそれをやらない？

俺の思考の変化を読み取ったかのようなタイミングで、ミヤギはいう。

「ねえ、クスノキさん。あなたが残り少ない寿命を、私を救うために使ってくれていることは、本当に、本当に嬉しいんです。……でも、もうその必要はないんですよ。だって、私はとっくに、救われているんですから。あなたがいなくなってから何十年経とうと、私はあなたと過ごした日々を思い返して、一人で泣いたり笑ったりすると思います。そういう思い出があるってだけで、きっと、生きることは幾分《いくぶん》も楽になるものなんですよ。だから、もう、いいです。私の借金のことは、もう忘れてください」

その代わり、といってミヤギは俺に体重を預けてきた。

「その代わり、思い出をください。あなたがいなくなった後、私がさみしくて仕方なくなったとき、何度でもあたためてくれるような思い出を、できるだけ、たくさん」

こうして俺は、これまでに出会ったどんな人間よりも愚かしい人間として一生を終えようと決意したわけだが、皮肉にもそれこそが俺の一生でもっとも賢い判断であったということは、この記録を最後まで読めばわかるだろう。

俺とミヤギはバスに乗って、大きな池のある公園に向かった。

そこで俺がやったことを聞いたら、大半の人間は眉を顰《ひそ》めるか、大笑いするに違いない。

池ではボートが貸し出されていた。シンプルな手漕《てこ》ぎボートもあったが、俺はあえて、あの馬鹿げたスワンボートを借りることにした。ボート乗り場の係員は、一人客にしか見えない俺がボートに乗ろうとしていることを不思議に思ったようだった。それもそうだろう、普通は恋人同士や女同士で乗る物なのだ。

俺がミヤギに向かって、「さあ、いこう」と笑いかけると係員は顔をひきつらせ、そそくさと離れていった。

ミヤギは可笑しくて仕方がないらしく、ボートを漕いでいる間もずっと笑っていた。「だって、傍目には、成人男性一人でこれに乗ってるように見えてるんですよ？」「そう馬鹿にしたものでもないさ。案外これ、楽しいじゃないか」と俺も笑った。

ゆっくりと池を周った。水音に紛れて、ミヤギが口笛を吹いていた。「スタンド・バイ・ミー」。のどかな夏の午後だった。

池を囲むように、ソメイヨシノの木が植えてあった。春にはきっと、この池一面に桜の花びらが舞い落ちる様子が見られるのだろう。逆に、冬には池の大部分が凍り、スワンボートは引退して、代わりに本物の白鳥が飛来するのだろう。

自分が二度と春も冬も迎えられない人間であることを考えると少し寂しくなった。だが隣でミヤギが笑っているのを見ていたら、すぐにどうでもよくなった。

ボートは序の口に過ぎなかった。この後も俺は、連日にわたって馬鹿げた行為を繰り返した。簡単にいうと、「一人でしてはいけないこと全部」をやった。もちろん俺自身はミヤギと一緒にやっているつもりだったが、他の人にはそうは見えなかった。一人観覧車。一人メリーゴーランド。一人ピクニック。一人水族館。一人動物園。一人プール。一人居酒屋。一人バーベキュー。とにかく一人で行うのが恥ずかしいとされていることは、一通りやってみせた。その際、必ず、俺は積極的にミヤギの名前を呼び、ミヤギと手を繋いで歩き、ミヤギと視線をあわせ、彼女の存在を周りに主張するようにした。金に余裕がなくなると、何日か日雇いのアルバイトをして、また遊び回った。

その狭い町において自分が段々と有名人になってきていることに、俺はその時点では気付いていなかった。俺を嘲笑う人や露骨に目を逸らす人、眉を顰める人がいたのは当然だが、一方で、俺を腕の立つパントマイマーだと考える人や、思想的な運動を行っていると深読みする人もいた。いや、それどころか、俺を見て心を和ませる人や、幸せな気分になる人もいたようなのだ。反応は実に様々だったらしい。

意外だったのは、悪い印象を抱く人と良い印象を抱く人の割合が、そう違わなかったということだ。

　なぜ半数近くもの人間が、俺の愚かしい行いを見て気分をよくしていたのだろうか？

　その理由は、案外、単純なことなのかもしれない。

　俺が芯から幸せそうにしていたから。

　たった、それだけのことなのだろう。


「クスノキさん、何か、私にしてほしいことはありませんか？」

　ある朝、ミヤギはそういった。

「どうしたんだ、急に？」

「なんだか私、与えられてばっかりだな、と思いまして。たまには私にも、何か与える側に回らせてほしいんです」

「大したことをした覚えはないけどな。まあ、考えておくよ」と俺はいった。「ところでミヤギの方こそ、何か俺にしてほしいことはないのか？」

「ありませんよ。現時点で、十分すぎるくらいよくしてもらってますから。あえていうなら、クスノキさんの願いを知ることが、私の願いです」

「じゃあ俺の願いは、ミヤギの願いを知ることだ」

「ですから、私の願いは、クスノキさんの願いを知ることですよ」

そういう意味のないやり取りを四回繰り返した後で、ミヤギは観念したようにいった。

「以前、クスノキさんに、もし私が余命数か月という状況におかれたらどうするかという質問をされて、三つ答えたじゃないですか」

「星の湖、自分の墓、幼馴染」

「ええ」

「幼馴染に、会いにいきたいんだろう？」

ミヤギは申し訳なさそうにうなずいた。「よくよく考えてみれば、私だって、いつ死ぬかわかりません。であれば、彼の居場所がまだわかっている今のうちに、会いにいっておいた方がいいだろうと思ったんです。会いにいくというか、一方的に見にいくだけですけど。……付きあってくれますか？」

「ああ、もちろん」

「クスノキさんの願いも、そのうち教えてくださいね」

「思いついたらな」

早速俺たちは目的地までの交通機関を調べ、ミヤギの故郷へいく手筈《てはず》を整えた。

山道を走るバスの中、彼女は窓の外を懐かしそうに眺めながら、いった。

「きっと私は、失望することになると思います。私の望みはあまりに非現実的で、自分勝手で、子供じみたものですから。『何も変わらないでいてほしい』なんて願いが聞き届けられたことは、一度だってないんです。……でも、たとえ思い出が台なしになるようなことがあっても、今は、耐えられる気がします。クスノキさんが、そこにいるから」

「敗者にとって一番の慰めとなるのは、より惨めな敗者の存在だからな」

「そういう意味でいったんじゃありませんよ。馬鹿じゃないですか？」

「わかってる、悪かったよ」といって、俺はミヤギの頭を撫でた。「こういうことだろう？」

「そういうことです」とミヤギはうなずいた。

小さな町だった。商店街の電器店が大繁盛《だいはんじょう》し、小規模チェーンのスーパーのレジに大行列ができ、行き場のない学生たちが公民館に集う、そういう町だ。

どこを切り取っても無個性な風景だったが、今となっては、何もかもが美しかった。もう俺には、この世界を効率よく知覚する必要がないし、自身の体たらくを世界のせいにする必要もない。いちいち足を止めて、あらゆるものをありのままに見つめる余裕がある。

一切のしがらみなしに見る世界は、すべてを覆っていた透明な膜《まく》が剝《は》がれたかのように鮮明だった。

この日は珍しく、ミヤギが俺を先導する形になった。この町に彼女の幼馴染がいるのは確かだが、住んでいる家まではわからないらしい。彼のいきそうな場所を一通り当たってみます、とミヤギはいった。エニシ、というのがその男の名前らしかった。ようやくエニシが見つかったとき、ミヤギは、すぐに近付こうとはしなかった。咄《とっ》嗟《さ》に俺の背後に隠れ、おそるおそる顔を出し、徐々に歩み寄っていって、そうしてようやく、彼の真横に立った。

十人も入れば窮屈《きゅうくつ》に感じられるような、小ぢんまりとした駅だった。エニシは隅のベンチに座り、本を読んでいた。背格好も顔立ちも、平均よりわずかに恵まれているという程度だったが、特筆すべきはその表情だった。ある種の自信に裏打ちされた、余裕のある表情。最近の俺は、それを形成している要因を徐々に理解し始めている。

つまりそれは、誰かを愛し、誰かに愛されているという確信のある者にしかできない表情なのだろう。

エニシが待っているのが列車ではなく、そこから降りてくる誰かなのだということは、雰囲気でわかった。その〝誰か〟の姿を、ミヤギには見てほしくないと俺は思った。

時間を見計らい、「そろそろいかないか」と小声でいうと、ミヤギは首を横に振った。

「ありがとうございます。でも、見ておきたいんです。彼が今愛しているのが、どんな人なのか」

二両編成の列車が到着した。降りてくる客の大半は高校生だったが、一人、感じの好い二十代半ばの女性がいた。それがエニシの待ち人であることは、彼らが親密な笑みを交わしあう前から予想できていたことだった。

とても自然な笑い方をする女性だった。自然すぎて、逆に不自然なくらいだった。人の笑顔というものは、普通、どんなに自然に出てきた笑いでもどこか作り物めいているものだが、エニシの恋人であるその女性の笑顔には、そういう不自然さが一切なかった。それは純粋な笑みだけを浮かべ続けた成果なのかもしれない。

言葉を交わさず自然に合流したところを見るに、付きあいは短いものではなさそうだったが、互いの顔を見た瞬間の嬉しくて仕方なさそうな表情は、まるで初めて待ちあわせをする二人のようだった。たったの数秒のことだったが、彼らが幸福であることを知るには、それで十分だった。

エニシはミヤギがいなくとも、幸せにやっていた。

ミヤギは泣きも笑いもせず、無表情に二人を見つめていた。動揺していたのは、むしろこちらの方だったかもしれない。俺はエニシとその恋人の姿に、俺とヒメノの姿を重ねていた。ひょっとしたらあり得たかもしれない、穏やかで幸せな未来を、一瞬とはいえ思い描いてしまった。

俺が死なずに済んだかもしれなかった未来を。

二人が去り、構内には俺とミヤギだけが残った。

「本当は、向こうが見えないのをいいことに、色々してやろうと思ってたんですよ」

と彼女はいった。「でも、やめました」

「たとえば、どんなことを？」と俺は訊いた。

「むりやり抱きつくとか、そんなこと」

「そんなことか。俺が同じ立場だったら、それ以上のことをしてただろうな」

「たとえば？」とミヤギがいい終えるより先に俺は彼女の腰を抱き寄せ、〝それ以上のこと〟を実践《じっせん》してみせた。

二分くらい、そうしていた。

初めは驚いて身を固くしていたミヤギだったが、徐々に落ち着いてくると、向こうからも応えてくれた。

ようやく唇を離したところで、俺はいった。

「どうせ誰にも咎められないんだったら、これくらい自分勝手なことをしてやるさ」

「……そうですね。誰も、咎めません」

うつむいたまま、ミヤギはやっとのことでそういった。

14. 青の時代

変化がはっきりと形になって現れたのは、俺の寿命が五十日を切った頃のことだった。

先述したように、俺の傍若無人《ぼうじやくぶじん》かつ傍若有人《ゆうじん》な行動に、嫌悪感を示す人は大勢いた。透明人間に向かって幸せそうに語りかける俺を見て、隣の人間と耳打ちしあう人たちや、こちらに聞こえるほどの大声で酷いことをいう人たちも少なくなかった。無論、文句をいう権利はこちらにはない。先に不快感を与えたのは俺の方なのだから。

その日、俺は居酒屋で三人の男に絡まれた。やたら声が大きく、いつでも目ざとく自分を強く見せる機会を窺っていて、相手の人数と体格を見た上で攻撃的な態度を取るかどうかを慎重に決めるような連中だ。退屈していたのだろう、一人で酒を飲みながら空席に向かって喋りかけている俺を見ると、わざわざ真横に座ってきて、挑発的な言葉を投げかけてきた。

以前の俺ならば意地を張って何かいい返していたかもしれないが、今の俺はもうそういうことにエネルギーを割こうとは思えなかったので、向こうが飽《あ》きるのを辛抱強く待った。しかし俺が何もやり返してこないことがわかると、連中は付け上がり、更に態度を大きくしてきた。店を出ることも考えたが、いかにも時間を持て余していそうなところを見るに、そのままついてきてしまうかもしれない。

困りましたね、とミヤギが俺を心配するような顔でいった。

どうしたものかと俺が悩んでいたそのとき、背後から「あれ、クスノキさんじゃないですか」という声がした。男の声だった。自分にそんな風に話しかける男に心当たりがなかった俺は、それだけでも十分に驚いたのだが、続いて彼が発した言葉には、俺もミヤギも仰天してしばらく口がきけなかった。

「今日も、ミヤギさんと一緒なんですね」

振り返って、声の主の姿を見る。

面識のない男ではなかった。

それはアパートの隣部屋に住んでいる男だった。いつもミヤギと話しながら部屋を出入りする俺を見て、気味悪そうな顔をしていた男。

確か、シンバシという名前だったはずだ。

シンバシは俺に向かって真っ直ぐ歩いてくると、そこにいた連中の一人に向かって、

「申し訳ありませんけど、その席、譲ってもらえませんか?」といった。言葉は丁寧だったが、口調は高圧的だった。席を譲るよういわれた男は、シンバシの優に百八十センチを超える体格と人を脅すのに慣れたような目付きを見た途端、露骨に態度を変えた。

俺の隣に座ったシンバシは、俺にではなく、ミヤギに向かっていった。「あなたの話はいつもクスノキさんから聞いてるんですが、実際に話したことはありませんでしたね。初めまして、シンバシといいます」

ミヤギは呆気にとられた顔で硬直していたが、彼はまるでミヤギが何かしらの返事をしたかのようにうなずいた。「ええ、そうです。覚えてくれていたんですか、光栄です。僕らはアパートの前で何度もすれ違ってるんですよ」

会話は成立していない。ということは、シンバシは実際にミヤギの姿が見えているというわけではないらしい。

ひょっとすると、この男は、ミヤギが見えている〝ふり〟をしてくれているのだろうか、と俺は思う。

先ほどまで俺に絡んでいた連中は、シンバシの登場でやる気をなくしたらしく、帰り支度を始めていた。三人が店を出ると、シンバシは軽い溜め息をつき、それまで顔に貼りつけていた社交的な笑みを捨て、いつもの機嫌の悪そうな顔に戻った。

「先にいっておきますけど」とシンバシはいった。「僕は別に、本気でその〝ミヤギ〟とかいう女の子がいることを信じているわけじゃありませんよ」

「わかってるさ。助けてくれたんだろう？」と俺はいった。「感謝するよ。ありがとう」

「ところがそういうわけでもないんですよ」と彼は首を横に振る。

「じゃあどういうわけだ？」

「あなたは決して認めないでしょうが――少なくとも僕は、こう考えています。あなたのやっていることはある種のパフォーマンスで、いかに多くの人に、その〝ミヤギ〟という女の子が実在するような錯覚を抱かせられるかに挑戦している。完全なパントマイムによって他者の認識を揺らがせられることを証明しようとしている。……そしてその試みは、僕に対しては、そこそこ成功しています」

「それは、ミヤギの存在をある程度感じられる、ってことか？」

「認めたくはありませんが、そういうことになります」といってシンバシは肩をすくめた。「そのついでにいってしまうと、僕は今自分の中に起きている変化に、浅からぬ関心があるんです。この調子で、あなたが僕に感じさせる〝ミヤギさん〟の存在を積極的に受け入れていったら、そのうち、彼女の姿が実際に見えるようにさえなってしまうんじゃないか、って」

「ミヤギは、」と俺はいった。「あまり背は高くない。色白で、どちらかといえば華奢な女の子だ。普段は醒めた目をしているが、たまに控えめな笑顔を見せてくれる。目が少し悪いのか、細かい文字を見るようなときには細いフレームの眼鏡をかけるんだが、それが本当によく似合うんだ。髪はセミロングで、内巻きの癖がある」

「……どうしてでしょうね？」とシンバシは首を傾げた。「今あなたが並べた特徴、一から十まで、僕の想像したミヤギさんの姿そのままなんですよ」

「そして今、ミヤギはあんたの目の前にいる。どうしてだと思う？」

シンバシは目を閉じて考える。「そこまではわかりませんね」

「握手を求めてるんだよ」と俺はいった。「右手を前に出してくれないか？」

彼は半信半疑の表情で、右手を前に差し出した。

その手を、ミヤギは嬉しそうに見つめ、両手で握った。

上下に揺さぶられる自分の手を見て、シンバシはいった。「これは多分、ミヤギさんが手を揺さぶっている、ということなんですね？」

「ああ。あんたは自分で揺さぶっていると思っているだろうが、実際はミヤギがあんたの手を握って揺さぶってるのさ。相当喜んでいるみたいだ」

「ありがとうございます、とシンバシさんに伝えてくれますか？」とミヤギがいった。

「ミヤギが『ありがとうございます』と伝えてくれといってる」と俺は代弁した。

「何となく、そうだろうと思いましたよ」とシンバシは不思議そうにいった。「どういたしまして」

その後、俺を媒介《ばいかい》として、ミヤギとシンバシの間でいくつかの言葉が交わされた。元のテーブルに戻る前に、シンバシはもう一度引き返してきて、俺にこういった。

「あなたの隣にミヤギさんの存在を感じているのは、おそらく、僕だけではないはずなんです。皆、一旦は似たような感覚を抱きつつも、それをくだらない錯覚であると自身にいい聞かせているんだと思います。しかし、何かのきっかけさえあれば——たとえば彼らが、そうした錯覚を抱いているのが自分だけでないと知ることができれば——案外、あっという間に、誰もがミヤギさんの存在を受け入れるようになるのではないでしょうか。……もちろん、何の根拠もない話です。ただ、僕はそうなることを願っています」

シンバシの予想は正しかった。

信じがたいことだが、この件をきっかけに、ミヤギの存在が周囲の人間に受け入れられ始めたのだ。

もちろん皆、透明人間の存在を本気で信じたわけではない。俺のたわごとを、共通の約束事として扱い、話をあわせてくれるようになったというだけだ。ミヤギの存在が仮説の域を出ることはなかったが、それにしても、大きな変化であることに違いはない。

町の娯楽施設や高校の文化祭、地元の祭りなど頻繁に顔を出しているうちに、俺はちょっとした有名人になったようだった。滑稽な幸せ者を貫き通す俺は、「可哀想で面白い人」とでもいった扱いを受けるようになったのだ。架空の恋人と手を繋いだり抱きあったりする俺を、少なくない数の人が、生温かい目で見守るようになった。

ある晩、俺とミヤギはシンバシの部屋に招かれた。

「部屋に酒が余ってるんです、実家に帰る前に飲み切らないといけなくて。……よかったら、クスノキさんとミヤギさんも一緒に飲みませんか？」

隣部屋に入ると、既に彼の友人が三人で飲んでいた。男が一人と、女が二人。酔っ払いたちは既にシンバシから俺の話を聞いているらしく、次々とミヤギに関する質問をしてきた。俺はそれに一つ一つ答えていった。

「つまりここに、ミヤギちゃんがいるんだね？」

スズミという、背が高く化粧気の強い女の子は、酔っ払った様子でミヤギの腕に触れながらいった。「いわれてみれば、そんな気もするねえ」

いくら触っても感触はないのだろうが、存在感のようなものは完全には消えていないのかもしれない。ミヤギはスズミの手をそっと握っていた。

頭の回転の早そうな男、アサクラはミヤギについて俺に幾つも質問をして、何とか矛盾点《むじゅんてん》を炙《あぶ》り出そうとしていたが、話が完璧に一貫していることを面白く思ったらしい、それからはミヤギのいる場所に自分が使っていたクッションを譲ったり、酒を注いだグラスを置いたりしてくれるようになった。

「俺はそういう女の人が好きなんですよ」とアサクラはいった。「俺にミヤギさんが見えなくてよかったですね。見えてたら多分、早々に落としにかかってますよ」

「どっちにしても無駄だよ。ミヤギは俺のことが好きだから」

「勝手なこといわないでください」とミヤギはクッションで俺を叩いた。

背が小さく顔の整った女の子、一番酔っ払っている様子のリコは、床に寝転がったまま俺を見上げ、「クスノキさんクスノキさん、ミヤギさんのことがどれくらい好きか、私たちに証明してみせて」と眠そうな目でいった。「私も見たいなあ」とスズミが賛同した。シンバシとアサクラも期待を込めた眼差しで俺のことを見つめていた。

「ミヤギ」と俺は呼びかけた。

「はい」

顔をほんのり赤らめてこちらを見るミヤギに、俺はキスをした。酔っ払い共が歓声をあげた。滅茶苦茶なことをやってるな、と自分でも呆れてしまう。ここにいる奴らは皆、ミヤギの存在を本気で信じているわけではない。俺のことは、気の狂った愉快な馬鹿野郎ぐらいにしか思っていないだろう。

しかし、それの何がいけないというのだろう?

この夏、俺はこの町で、一番の道化だった。

良くも、悪くも。


それから何日かが過ぎた、晴れた日の午後のことだ。

呼び鈴が鳴り、シンバシの声が聞こえた。

ドアを開けるなり、彼は俺に向かって何かを放り投げてきた。手のひらを開けて受け取ったそれを見ると、自動車の鍵だった。

「実家に帰るんです」とシンバシはいった。「だから、俺にそれは、しばらく必要ないんですよ。よかったらお貸しします。ミヤギさんと一緒に、海でも山でも見にいったらどうです？」

俺は何度も彼に礼をいった。

帰り際、シンバシはこういった。

「やっぱり僕には、あなたがただ嘘をついているようには見えないんです。ミヤギさんの存在がパントマイムによって作り出されたものだとは、とても思えない。……あるいは実際に、あなたにしか見えていない世界があるのかもしれませんね。僕たちが見ている世界は、この世界の真実におけるほんの一部、自分たちにとってそれさえ見えていればいいという部分に過ぎないのかもしれません」

バスに乗って帰っていった彼を見送った後、俺は空を見上げた。

目の眩むような日差しは相変わらずだったが、漂う空気の中に、ほんのりと秋の匂いが嗅ぎ取れた。

つくつく法師《ぼうし》が一斉に鳴き、夏を終わらせようとしていた。

夜になって、俺はミヤギと一緒に布団に潜った。境界線はいつの間にかなくなっていた。

ミヤギは俺と向かいあって眠った。すうすう寝息を立てて、子供みたいに安らかな顔で。その寝顔は何度見ても慣れないし、飽きないし、愛おしかった。

彼女を起こさないようにそっと布団から出て、台所で水を飲んで部屋に戻ろうとしたとき、脱衣所の扉の前に、例のスケッチブックが落ちているのを見つけた。俺はそれを拾い上げると、流し台の蛍光灯を点け、そっと一ページ目を開いた。

想像していた以上に、様々なものがそこには描かれていた。

駅の待合室。ナルセと会ったレストラン。タイムカプセルの埋めてあった小学校。ヒメノと俺の秘密基地。千羽鶴が散乱した部屋。古びた図書館。夏祭りの屋台。ヒメノと会う前日に俺とミヤギで歩いた川辺。展望台。二人で寝泊まりした公民館。カブ。駄菓子屋。自販機。公衆電話。星の湖。古書店。スワンボート。観覧車。

そして、俺の寝顔。

俺は新たなページをめくり、仕返しに、ミヤギの寝顔を描きはじめた。

眠気で頭がぼやけていたせいか、自分が最後まで手を止めずに絵を描いたのが数年ぶりだということに気付いたのは、すべての工程を終えた後だった。

挫折したはずだった、絵。

完成したそれを見て、俺は驚きと満足を覚えると同時に、それらとは別の、小さな違和感を覚えた。

見逃すのは簡単だった。その違和感は、少しでも他のことに考えを移せば、すぐにでも存在そのものを忘れてしまうような、小さなものだった。それを無視してスケッチブックを閉じ、ミヤギの枕元に開いて置き、明日の彼女の反応に期待しながら幸せな気分で眠りにつくこともできた。

しかし、確信があった。

俺は集中力を全開にし、全神経を研ぎ澄まして、違和感の正体を探った。

暗い海中を漂う手紙みたいに、それはふらふらと俺の手をすり抜けていった。

数十分が経ち、俺が諦めかけて手を引っ込めようとしたとき、偶然、それはするっと手中に収まった。

俺はそれを、大事に大事に海上に引き上げた。

そして、理解した。

次の瞬間には、俺は何かに取り憑《つ》かれたかのように、一心不乱にスケッチブックの上で鉛筆を動かしていた。

それは一晩中続いた。

数日後、俺はミヤギを連れて花火を見にいった。夕焼けのあぜ道を歩き、踏切を渡り、商店街を抜け、会場となっている小学校に着いた。地元では評判の花火大会で、屋台の数は想像していたよりもずっと多かった。この町のどこにこれほど人がいたのかと不思議になるくらい、大勢の見物客が訪れていた。

俺がミヤギと手を繋いで歩いているのを見ると、すれ違う子供たちが、「クスノキさんだー」と指を差して笑った。好意的な笑いだった。変人は子供に人気があるものだ。俺はミヤギと繋いだ手を上げて、子供たちの冷やかしに応えた。

焼き鳥の屋台の列に並んでいると、俺のことを噂で聞いたことがあるらしい高校生の集団が近付いてきて、「恋人さん、素敵っすね」とからかうようにいった。俺が「いいだろう？　渡さないぞ」といってミヤギの肩を抱くと、彼らはけらけら笑って囃《はや》したてた。

そういうのが、俺は嬉しかった。たとえ信じていないにせよ、「ミヤギがそこにいる」という俺のたわごとを、皆、楽しんでくれているみたいだった。

相手にされない真実より、楽しまれる虚構の方が、ずっといい。

花火大会の開始を知らせる放送がかかり、数秒後、一発目の花火が上がる。

橙色の光が空に広がり、歓声が上がり、遅れて破裂音が大気を震わせた。

間近で打ち上げ花火を見るのは久しぶりだった。それは俺が見積もっていたよりも、ずっと大きく、ずっと色彩豊かで、そしてすぐに消えてしまうものだった。巨大な花火は飛散しきるまでに数秒かかるということも俺は忘れていたし、その破裂音が腹の底まで響くほどのものだということは、想像さえしていなかった。

何十発もの花火が上がった。俺たちは二人きりになれる校舎裏に寝転んで、それを見ていた。ふと、花火に見とれるミヤギの顔を盗み見たいと思い、空が光った瞬間に彼女の顔を見ると、向こうも同じことを考えていたようで、目があってしまった。

「気があうな」と俺は笑った。「前にもこういうことがあった。布団の中で」

「そうでしたね」とミヤギは照れ笑いを浮かべた。「でもクスノキさん、私のことなんかいつでも見られるんですから、今は花火を見た方がいいですよ」

「ところが、そうもいかないんだ」と俺はいった。

このタイミングが、もっともふさわしいのかもしれない。

打ち上げ花火の下でする、打ち明け話。

「まあ、確かに私、明日は休日ですけど、明後日には戻ってきますよ。前回と違って、いなくなるのはたった一日だけですから」

「そういう問題でもないんだよ」

「じゃあ、どういう問題ですか?」

「……なあ、ミヤギ。今や俺は、町のちょっとした人気者だ。俺に向けられる笑顔のうち、半分は嘲笑《ちょうしょう》だが、もう半分は純粋な好意からくるものだ。どんなに笑われようと、俺はそのことを誇らしく思う。こんなに良いことはそうそうないんだと、確信をもっていえる」

体を起こし、地面に手をついて、ミヤギを見下ろす。

「小学生の頃、大嫌いな男がいた。本当は頭がいいくせに、それをひた隠しにして、おどけて周りから好かれようとする、いけ好かない男だ。……でも、最近になって、わかってきた。俺は、あいつのことが羨ましくて仕方なかったんだ。きっと俺は、最初からこうやって、皆と仲良くしたかったんだと思う。そして、ミヤギのおかげで、それは実現できたんだ。世界と仲直りすることに、俺は成功した」

「よかったじゃないですか」

ミヤギは体を起こし、俺と同じような姿勢を取った。

「……それで、本当は、何がいいたいんですか?」

「今までありがとう、ってことさ」と俺はいった。「本当に、何ていったらいいのかわからない」

「そして『これからもよろしく』、でしょう？」とミヤギはいった。「まだ一か月以上あるんですよ。『今までありがとう』は、ちょっと気が早いんじゃないですか？」

「なあミヤギ。俺の願いごと、知りたいっていってたな。思い付いたら、教える約束だった」

数秒の間があった。

「ええ。私にできることなら、何でもしますよ」

「オーケー。じゃあ、率直にいおう。ミヤギ。俺が死んだら、俺のことはきれいさっぱり忘れてくれ。それが俺の、ささやかな願いごとだ」

「いやです」

即答した後、ミヤギはようやく俺の意図を察したようだった。

明日、俺が何をしようとしているのか、感付いたらしかった。

「……あの、クスノキさん。まさかとは、思いますけど。馬鹿な真似はやめてくださいよ。頼みますから」

俺は首を横に振る。

「考えてみてくれ。果たして誰が、三十円の俺に、ここまで素晴らしい余生が送れると予想できただろう？　多分、誰も予想できなかったはずだ。ミヤギも読んだっていう査定結果やら何やらを見て、俺の現在を想像できるやつはいないだろう。最低の人生を送るはずだった人間が、こんなにも大きな幸せを掴めたんだ。だったら、ミヤギの未来だって、まだまだわからない。俺なんかよりもっと頼り甲斐のある男が現れて、ミヤギを幸せにしてくれるかもしれない」

「現れません」

「でも、俺にとってのミヤギだって、本当は現れないはずだったんだ。なら、ミヤギにとっての――」

「現れませんよ」

次の言葉を返す暇もなく、ミヤギは俺を押し倒した。

仰向けに倒れた俺の胸に、彼女は顔を埋める。

「……クスノキさん、お願いですから」

泣き声を聞くのは、それが初めてだった。

「お願いですから、せめて、あと一か月は、私の傍にいてください。私、他のことは、全部我慢してるんですから。あなたがもうすぐ死んでしまうことも、監視が休みの日には会えなくなってしまうことも、二人で手を繋いでるところを他の人に見せられないことも、あなたが死んだら、それからは一人で三十年間生きていかなきゃならないことも、全部我慢してるんです。だからせめて、この時間だけは——一緒にいられる時間だけは、自分から捨てるようなことは、しないでください。お願いですから」

嗚咽《おえつ》を漏らすミヤギの頭を、俺はずっと撫でていた。

アパートに戻った後、俺とミヤギは抱きあって眠った。

ミヤギの涙は、最後の最後まで、止まることがなかった。


真夜中に、ミヤギはアパートを出ていった。

玄関口でもう一度抱きあい、腕の力を緩め、名残惜しそうに俺から離れると、寂しそうに微笑んだ。

「さようなら。幸せでした」

そういって頭を下げると、俺に背中を向けた。

月明かりの中を、ゆっくり歩いていった。

翌朝、俺は代理監視員の男と共に、例の古ぼけたビルに向かった。

俺とミヤギが初めて出会った場所。

そこで俺は、残り三十日分の寿命を売り払った。

本当であれば一日残らず売ってしまいたかったのだが、最後の三日間だけは、買い取りを行わないそうだ。

査定結果を見て、男は驚いていた。

「お前、こうなることがわかってて、ここにきたのか?」

「ああ」と俺はいった。

査定を担当した三十代の女は、困惑した様子でいった。

「……正直、おすすめしないわ。ここまできたら、もう、お金なんて大した問題じゃないでしょう? あなた、残りの一か月、きちんとした画材やら何やらを用意して絵を描き続けるだけで、遠い将来、美術の教科書の隅に載ることになるのよ?」

そういうと、俺が脇に抱えたスケッチブックに目をやる。

「よく聞きなさい。ここで何もせずに帰った場合、あなたは残りの三十三日、死ぬ気で絵を描き続けることになってるの。その間、監視員の女の子はずっと傍にいて、あなたを勇気付けてくれるわ。絶対にあなたの選択を、責めたりはしない。そして死後、あなたの名前は美術史に永遠に残る。今のあなたなら、それくらい、いわれなくてもわかっているはずでしょう？　……一体、これの何が不満なの？　私にはわからないわ」

「死んだら金が無意味になるのと同様、死んだら名声も無意味です」

「あなた、永遠になりたくないの？」

「俺がいない世界で俺が永遠になっても、何にも嬉しくありませんよ」と俺はいった。


世界一通俗的な絵。

俺の絵は、後にそう呼ばれ、一大論争を巻き起こしながらも、最終的には絶大な評価を得るはずだったらしい。

もっとも三十日を売り払ってしまった今、それもまた、「起こるかもしれなかったが、絶対に起こり得ないこと」に過ぎない。

俺はこう思うのだ。そうした絵を描く能力は、ひょっとすると、本来気が遠くなるような長い時間をかけてようやく開花するものだったのかもしれない。そして、それだけの時間が過ぎる前に、俺は交通事故でチャンスを失う運命にあった。

しかし、寿命を売ったこと、そして何より、ミヤギが傍にいたことによって、本来俺が支払わなければならなかった膨大な時間は、極限まで短縮された。おかげで、どうにか寿命が尽きるより先に、その才能は開花してくれたのだ。

俺はそう考えることにしている。

かつて、絵を描くのが得意だった。

目の前の風景を写真のように模写することは当たり前のようにできたし、それを解体して別のイメージに置き換えまったく別の形で表現することも、誰に教わるでもなく自然とこなせた。美術館などで絵画を見ても、「そう描かれるべきでないもの」が「そう描かれなければならなかったわけ」を、言語から遠く離れた場所で、明瞭《めいりよう》に理解できた。

そういった俺の物の見方が、一から十まで正しかったとは限らない。しかし何にせよ、並外れた才能が俺にあったことは、当時の俺を知る者なら誰もが認めるところだと思う。

十七歳の冬、俺は絵を描くのをやめた。このまま同じやり方で続けても、ヒメノと約束したような偉い人物にはなれないと思ったからだ。精々、器用貧乏な画家になるのが関の山だった。それは一般的な観点からすれば十分に成功と呼べるレベルのものだったのだろうが、俺はヒメノとの約束を守るために、過剰に特別であろうとしていた。革命を必要としていた。そのためには、ほんの少しでも、惰性《だせい》で絵を描くことは許されなかった。

次に絵筆を握るのは、俺の中ですべてが噛みあったときだ。世界を、誰とも違った見方で捉えられるようになるまでは、俺は自分に絵を描くことを許さない。

そう決めた。

その判断自体は、おそらく間違っていなかった。

しかし十九歳の夏、俺は一向に物の見方は定まらないのに、焦燥感から、自身に絵筆を握ることを許してしまった。それがもっとも「描いてはいけない時期」だったと知ったのは、ずいぶん後になってからだった。

結果として、俺は絵を描く能力を失った。林檎《りんご》の一つさえ、まともに描けなくなった。何かを絵にしようとした途端、俺の中でとてつもない混乱が起きる。悲鳴を上げそうになるほどの強烈な混乱だ。空中へ踏み出すような不安が俺を襲う。どんな線にも、どんな色にも、必然性が感じられなくなっていた。

俺は自分の天才が、どうしようもなく失われてしまったことを知った。それ以上、足掻いてみる気にはなれなかった。一からやり直すには遅すぎた。俺は絵筆を捨て、競争から逃げ、内側に引きこもった。

いつからか俺は、自分の絵を万人に認めさせることに躍起になり過ぎていた。それが混乱の主たる原因だったのだと思う。万人向けに描くことこそが普遍性に繋がるのだという勘違いが、もっとも致命的だった。そうした勘違いが頂点に達したそのときに絵筆を握ってしまったことが、〝描けない〟状態を作ってしまったのだろう。普遍性というのは、そうやって周りに媚《こ》びへつらって描いたものに宿るわけではない。自分の井戸の底まで下りて、苦労して引っ張り出してきた、一見どこまでも個人的な成果にこそ宿るものだ。

それに気付くためには、一切の頓着《とんちゃく》なしに、一度純粋な楽しみとして、自分のためだけに絵を描く必要があった。その機会をくれたのが、ミヤギだったというわけだ。彼女の寝顔を、それまで俺が考えていた「描く」という行為とはまったく別の次元で、俺は「描く」ことができた。

その後、一晩かけて俺が描いたのは、五歳ごろから欠かさず続けていたあの習慣、寝る前にいつも頭に浮かべていた景色たちだった。俺が本来住みたかった世界、ありもしない思い出、いったこともないどこか、過去か未来かも知れないいつか。ずっと積み重ね続けてきたそれらを表現する術《すべ》を、俺はミヤギの寝顔を描くことを通して理解した。おそらく俺は、その瞬間を待ち続けていたのだろう。死ぬ直前という形になってしまったが、俺の技法はそこで完成した。

査定係の女によると、失われた三十日間で俺が描くはずだった絵は、『デ・キリコを極限まで甘ったるくしたような絵』だったらしい。あくまでそれは彼女の解釈らしいが、なるほど、確かに俺が描きそうな絵だ。

その絵を描いて歴史に小さく名を残す権利は、目を疑うくらい高く売れた。たったの三十日分ということで、ミヤギの借金を返すにはあと一歩至らなかったが、それでも、彼女はあと三年も働けば、晴れて自由の身になるらしい。

「三十年より価値のある三十日、か」

別れ際、代理監視員の男はそういって笑った。

こうして俺は、永遠になり損ねた。

いつかヒメノが予言した、〝十年後の夏〟が、いよいよ終わろうとしている。

彼女の予言は、半分外れた。

俺は、最後まで、偉くも、お金持ちにもなれなかった。

彼女の予言は、半分当たった。

〝とってもいいこと〟は、確かに起きた。彼女のいった通り、俺は「生きててよかった」と心の底から思うことができたのだ。

15．賢者の贈り物

残り三日、最初の朝だった。

ここからは、監視員の目は一切ない。

ミヤギは、もういないということだ。

その三日間をどうやって過ごすかは、とっくに決めていた。午前中は、ノートへの書き込みに費やした。昨日までの出来事を書き終えると、万年筆を置いて、数時間ぐっすり眠った。目が覚めると、外に出て煙草を吸い、自販機でサイダーを買って渇いた喉を潤した。

俺は改めて財布を見た。百八十七円。それで全部だった。しかも、そのうち六十円はすべて一円玉だ。三回数えてみたが、やっぱり百八十七円だった。

奇妙な偶然に気付き、俺は頬を緩めた。三日間を過ごすには少々心もとないが、今はその偶然を楽しもう。

ノートを見直して必要な細部を付け足すと、俺はカブに跨り、かつてミヤギと一緒にめぐった場所を、今度は一人でめぐった。

そこにある彼女の残り香のようなものを求めて、青空の下を走り続けた。

ミヤギは今頃、どこかで俺とは別の誰かを監視しているのだろう。そいつが自棄になってミヤギを襲ったりしないことを、俺は祈った。彼女が順調に働き続け、借金を返し終えた後、俺のことなど忘れてしまうくらいに幸せな毎日を過ごせるよう、俺は祈った。ミヤギにとって俺より大切に想えて、かつ俺よりもミヤギを大切に想える人が現れることを、俺は祈った。

公園を歩いていると、子供たちが俺に向けて手を振ってきた。俺はふとした思い付きで、ミヤギがいるふりをしてみることにした。

手を差し出して、「ほら、ミヤギ」といって、空想上のミヤギと手を繋ぐ。

周りから見れば、それで、いつも通りの光景だったのだろう。「ああ、またクスノキの馬鹿が架空の恋人と歩いてるよ」とでも思われたことだろう。

しかし、俺にとっては大違いだった。

あまりにも何もかもが違っていた。

俺はそれを自分からやっておきながら、まともに立っていられないほどの悲しみに襲われた。

ミヤギの不在を、これ以上ないほど強烈に実感してしまった。

　ふと、俺は思う。

　ひょっとしたら、最初から、すべては俺の見た幻だったのではないだろうか。

　自分の一生があと三日で終わるという確信はある。命の欠片さえほとんど燃やし尽くしてしまったのがわかる。その感覚だけは、嘘ではないだろう。

　しかし、ミヤギという女の子は、本当に実在していたのだろうか？　彼女の存在は、いやそれどころか、寿命を買い取る店の存在さえ、死期を悟《さと》った俺が追い詰められた挙句《あげく》に生み出した、都合のいい幻想だったのではないだろうか？

　今となっては、それを確かめる術はなかった。

　噴水の縁《ふち》に座ってうな垂れていると、中学生くらいの男女に声をかけられた。

　男の方が、無邪気《むじゃき》にいう。「クスノキさん、今日もミヤギと一緒？」

「ミヤギはさ、もう、いないんだ」と俺はいった。

　女の方が、両手を口に当てて驚いた。「え、どうしたの？　喧嘩でもしたの？」

「そんなところだな。お前たちは喧嘩するなよ」

　そう俺がいうと、二人は顔を見あわせて、同時に首を横に振った。

「いや、無理じゃないかなあ。だってさ、クスノキさんとミヤギさんですら喧嘩するんでしょう？」

「あんなに仲良しの二人でさえそうなるなら、俺たちが喧嘩しないわけがないじゃん」

それもそうだな、といおうとしたつもりだった。

だが、言葉が出てこなかった。

気付けば俺は、栓《せん》が抜けたように、ぼろぼろ泣いていた。

隣にミヤギの存在を思い浮かべて自分を慰めようとすればするほど、かえって涙は溢れてきた。

二人は、そんなみっともない俺を挟むように座って、慰めてくれた。

ひとしきり泣いて顔を上げると、いつの間にかたくさんの人間が俺の周りに集まっていた。

どうやら、自分で想像していた以上に、俺のことを知っている人は大勢いたらしい。

「またクスノキが新しいことをやってるぞ」とでもいった調子で、俺の周りには様々な世代の人間が集ってきていた。

シンバシの友人、スズミやアサクラもその中にいた。スズミは俺に何があったのか訊いてきた。俺は答えに迷ったが、ミヤギと喧嘩別れしたということにしておいた。

向こうが俺を見限って、捨てたのだという話をでっちあげた。

「ミヤギはクスノキの何が気に入らなかったんだろう？」

傍にいた目付きの鋭い女子高生が、怒ったようにいった。

まるで、本当にミヤギという女の子が存在したかのような口ぶりで。

「何か事情があったんじゃないですかね」

横にいた男がいった。見覚えのある顔だった。そう——写真屋の店長だ。初めてミヤギの存在を肯定してくれた人だった。

「とてもそんな酷いことをする人のようには見えませんでしたよ」

「でも、結局、いなくなっちゃったわけでしょう?」とスズミがいう。

「こんないい人を放って消えるなんて、そのミヤギってやつは、本当にろくでもない女だな」

ランニングの最中だったらしい短髪の男は、そういって俺の肩を叩いてくれた。

俺は何かいおうとして顔を上げて、けれどもやっぱり言葉につまって、

——そのとき、背後から声がしたのだ。

「そうですよ、こんなにいい人なのに」、と。

その声に、俺は聞き覚えがあった。

一日や二日で忘れられるものではない。

俺にその声を忘れさせようと思ったら、三百年、いや三千年は必要だろう。

声のした方を向く。

俺は確信していた。

聞き間違えるはずがなかった。

でも実際に見るまでは、どうしても信じられなかった。

彼女は笑っていた。

「そのミヤギって人は、ろくでもない女ですね」

ミヤギはそういうと、俺の首に手を回し、抱き付いてきた。


「ただいま、クスノキさん。……探しましたよ」

反射的に抱き返し、彼女の髪の匂いを嗅ぐ。

俺の身体に染み付いている〝ミヤギ〟という感覚と、それは一致する。

確かに彼女は、そこにいた。

状況が呑み込めていないのは、俺だけではなかった。

周りにいた連中も、俺と同じくらい混乱していた。

多分彼らは、こう思っていたことだろう。

「ミヤギという女の子は、実在しないはずじゃなかったのか？」、と。

反応を見れば、一目瞭然《いちもくりょうぜん》だった。

ミヤギの姿は、誰の目にもはっきりと映っていた。

ジャージ姿の男が、おそるおそるミヤギに訊いた。

「あんた、もしかして、ミヤギさんか？」

「そうです、ろくでもないミヤギです」と彼女が答えると、男は俺の肩を何度も叩いて、「よかったじゃねえか」と笑った。「なんだよなんだよ、本当にいたのかよ。ずいぶん美人さんじゃねえか、ミヤギさん。羨ましいぞ、おい」

だが当の俺は、相変わらず現状を把握できていなかった。

なぜミヤギがここにいるのだろう？

どうしてミヤギの姿が周りの人の目に映っているのだろう？

「ミヤギさんって、本当にミヤギさんだったんだね」と傍で見ていた女子高生が目を丸くしていった。「……うん、何だか、私が想像してた通り。ほんとにそのまんま」

人垣の奥にいたアサクラが、周りにいた連中に俺たちを二人きりにするよう提案する。

彼らはからかいの言葉や祝福の言葉を残し、散り散りに去っていった。

俺はアサクラに礼をいった。

「やっぱりミヤギさんは、想像した通り、俺好みの子でしたよ」とアサクラは笑った。

「どうか、お幸せに」

そうして、二人だけになった。

混乱している俺の手を握り、ミヤギは説明してくれた。

「不思議でしょうね。どうして私が、ここにいられるのか。どうして私の姿が、皆の目に見えていたのか。……答えは単純ですよ。つまり、私も、あなたと同じことをしたんです」

「同じこと？」

数秒後、俺はミヤギの言葉の意味を理解した。

「どれくらい……売ったんだ？」

「あなたと同じです。全部売っちゃいました。あと三日しか、残ってません」

頭が、真っ白になる。

「クスノキさんが寿命を売った直後、あの代理監視員の人が連絡をくれたんです。あなたが自分の寿命を更に限界まで削って、私の借金の大半を返してしまったということを、彼は教えてくれました。話を聞き終える頃には、私はもう、決めていました。手続きも、彼がしてくれました」

きっと俺は、そのことを、悲しむべきなのだろう。すべてを犠牲にして守ろうとした相手が、俺の気持ちを裏切り、再びその生を投げ打ってしまったことを、嘆くべきなのだろう。

それなのに、俺は幸せだった。

彼女の裏切りが、彼女の愚かさが、今は、何よりも愛おしかった。

隣に座ったミヤギは、俺にもたれかかって目を閉じた。

「すごいですよ、クスノキさんは。たった三十日で、私の人生の大半を買い戻しちゃったんですから。……そしてごめんなさい、あなたがせっかく取り戻してくれた人生を、自ら捨てるようなことをしてしまって。馬鹿ですよね、私」

「馬鹿なもんか」と俺はいった。「馬鹿なのは、むしろ俺の方だったよ。たったの三日でさえ、俺はミヤギなしでは生きられそうになかった。これからどうしようかと、途方に暮れていたんだ」

ミヤギは嬉しそうに笑い、俺の肩に頬ずりした。

「あなたのおかげで、私の人生の価値も、ちょっとは上がっていたみたいなんです。だから、借金を全部返しても、お金はまだまだ余ってます。三日間だけじゃ、とっても使い切れないくらい」

「お金持ちか」と俺は大袈裟《おおげさ》にいってミヤギを抱きしめて揺さぶった。

「ええ。お金持ちです」とミヤギも俺を抱き返して大袈裟にはしゃいだ。

またぼろぼろと涙が出てきたが、それはミヤギも同じことだったので、気にならなかった。


俺は、何も残さずに死ぬ。

あるいは物好きな誰かが、愚かな俺のことを覚えていてくれるかもしれないが、きっと、忘れられる可能性の方が大きい。

でも俺は、もういい。

かつて夢見た永遠に、今なら期待しなくて済む。

もう、誰にも覚えていてもらえなくたっていい。

隣にこの子が、いてくれるから。

隣でこの子が、笑っていてくれるから。

たったそれだけのことで、俺は今、すべてを許せた。

「さて、クスノキさん」

ミヤギは、改まって俺に向き直り、愛らしい笑顔でいう。

「これから三日間、どんな風に過ごしましょう？」

多分、その三日間は、
俺が送るはずだった悲惨な三十年間よりも、
俺が送るはずだった有意義な三十日間よりも、
もっともっと、価値のあるものになるのだろう。

あとがき

「馬鹿《ばか》は死ぬまで治らない」という言葉がありますが、僕はこれについてもう少し楽観的な見方をしておりまして、「馬鹿は死ぬまでには治るだろう」くらいに考えています。

一口に馬鹿といっても実に様々な種類の馬鹿が存在しますが、ここで僕のいう〝馬鹿〟は、自ら地獄を作り出す人々のことです。そうした〝馬鹿〟の特徴として、まず、「自分は幸せになれない」と強く思い込んでいる、という点が挙げられます。より重度になると、その思い込みは「自分は幸せになるべきではない」にまで拡張され、最終的には「自分は幸せになりたくない」という破滅的な誤解に至ります。

こうなるともう、怖いものはありません。彼らは不幸になる手段というものを熟知しており、どんなに恵まれた環境であろうと、必ず抜け道を見つけ出して、器用に幸福を回避してみせます。一連の過程はすべて無意識下で行われるため、彼らはこの世のすべてが地獄だと思っていますが——実際のところ、彼らが進んで、自分のいるそこを地獄にしているというだけなのです。

僕自身そうした地獄の作り手の一人だからこそ確信を持っていえるのですが、こうした馬鹿は、そうそう治るものではありません。「不幸な自分」がアイデンティティになった者にとって、不幸でなくなることは、自分でなくなることです。不幸に耐えるために行っていた自己憐憫《れんびん》はいつしか唯一の楽しみとなり、そのための不幸を積極的に探しにいくようにさえなります。

ですが、冒頭で述べた通り、僕はこうした馬鹿を、死ぬまでには治るものと考えているのです。より正確にいえば、「死の直前になって、初めて治るだろう」というのが僕の考えです。幸運な人はそうなる前に治るきっかけを得られるかもしれませんが、たとえ不運な人でも、自身の死が避けられないものであると実感的に悟り、「この世界で生き続けなければならない」というしがらみから解放されたそのとき――ようやく、馬鹿から解放されるのではないでしょうか。

僕はこの見方を楽観的といいましたが、よくよく考えるとこれは、相当に悲観的ともいえます。世界を初めて愛せるようになった頃には、彼の死は決定的である、というわけですから。

ただ、僕が思うに、そうした「馬鹿は治ったが、もう手遅れの彼」の目を通して見る世界は、たぶん、すべてがどうでもよくなってしまうくらいに、美しいのです。「俺は、こんなにも素晴らしい世界に住んでいたのに」、「今の俺には、すべてを受け入れて生きることができるのに」といった後悔や嘆きが深ければ深いほど、世界はかえって、残酷なくらいに美しくなるのではないでしょうか。

そういう美しさについて書きたいと、僕は常々考えています。この『三日間の幸福』にせよ、作品を通して命の価値だとか愛の力だとかについて語ろうという気は、実をいうと、更々ないのです。

三《み》秋《あき》縋《すがる》

三秋　縋　著作リスト

スターティング・オーヴァー（メディアワークス文庫）
三日間の幸福（同）

本書は著者の公式ウェブサイト『ｆａｆｏｏ』にて掲載された小説に加筆・修正したものです。

この物語はフィクションです。実在の人物・団体等とは一切関係ありません。

メディアワークス文庫

三日間《みっかかん》の幸福《こうふく》

三秋《みあき》 縋《すがる》

2013年12月25日　初版発行
2020年11月20日　44版発行

発行者　郡司 聡
発行　株式会社KADOKAWA
〒102-8177　東京都千代田区富士見2-13-3
0570-06-4008（ナビダイヤル）
装丁者　渡辺宏一（有限会社ニイナナニイゴオ）
印刷　加藤製版印刷株式会社
製本　加藤製版印刷株式会社

●お問い合わせ（アスキー・メディアワークス ブランド）
https://www.kadokawa.co.jp/（「お問い合わせ」へお進みください）
※内容によっては、お答えできない場合があります。
※サポートは日本国内のみとさせていただきます。
※Japanese text only

※定価はカバーに表示してあります。

Printed in Japan
ISBN978-4-04-866169-0 C0193

メディアワークス文庫　https://mwbunko.com/

本書に対するご意見、ご感想をお寄せください。

あて先
〒102-8177　東京都千代田区富士見2-13-3
メディアワークス文庫編集部
「三秋 縋先生」係